国际注册汉语教师资格等级认证参考用书

对外汉语教学理论科目认证指南

■本书编著：朱雪峰　赵　炜
丛书主编：沙　江　朱雪峰

华语教学出版社

First Edition 2010
Fourteenth Printing 2018

ISBN 978-7-80200-984-4

Published by Sinolingua Co., Ltd
24 Baiwanzhuang Road, Beijing 100037, China
Tel: (86)10-68320585 68997826
Fax: (86)10-68997826 68326333
http://www.sinolingua.com.cn
E-mail: fxb@sinolingua.com.cn
Facebook: www.facebook.com/sinolingua
Printed by Beijing Mixing Printing Co., Ltd.

Printed in the People's Republic of China

前　言

一

21世纪是属于中国的新世纪，同时也是汉语的新世纪。

作为一个人口众多、幅员辽阔的大国，中国自改革开放30年以来，经济发展突飞猛进，国际地位迅速提升。与中国的合作与交流，日益成为一个备受世人关注的新话题。语言是最重要的交际工具，同时也是跨文化交流的纽带。因此，汉语受到世界上越来越多人的关注。

据不完全统计，目前除中国外，全世界学习汉语的人数大概有3000万左右，遍及100多个国家和地区。来中国学习汉语的留学生人数累计业已接近50万，与2002年相比增加了近4倍。随着新世纪汉语热的渐趋兴起，国际汉语推广工作也取得令人瞩目的成绩。截至2009年12月，中国国家汉办已在88个国家和地区建设了282所孔子学院和272个孔子课堂。各地孔子学院利用自身优势，开展丰富的教学与文化活动，成为汉语言文化交流的重要场所。

与此同时，合格的对外汉语教师资源极为匮乏。按照目前汉语学习者的人数估计，2010年全球对外汉语教师缺口不止一百万。因此，培养大批既具有理论水平又兼具实践经验的合格的对外汉语教师则成为今后汉语国际推广工作的重点。而IPA国际注册汉语教师资格认证工作的开展，为培养合格的对外汉语教师提供了新的途径。

作为国际注册汉语教师资格认证的参考用书，本书简要地介绍了对外汉语教学的性质、特点以及学科的理论基础，包括了语言教学、测试评估、教材编写等各个方面，全方位涉及了对外汉语教学领域内的相关知识，能够引领学习者轻松步入对外汉语教学的殿堂。对于参加国际注册汉语教师资格认证的应考者来说，本书亦是最佳的备考指南。

二

本指南主要依据IPA国际认证协会的《IPA国际注册汉语教师认证标准》和中国国家汉办出台的《国际汉语教师标准》进行编著，分为“对外汉语教学总论”、“语言习得理论”、“汉语作为第二语言教学的理论与应用”、“汉语作为第二语言的课堂教学”、“第二语言教学法的主要流派”、“对外汉语教材的编写、选择与使用”、“汉语作为第二语言的测试与评估”、“汉语作为第二语言教学中的文化因素”、“现代教育技术在对外汉语教学中的应用”、“教案设计”十个章节。这十个章节基本涵括了对外汉语教学理论领域最关键、最重要的概念、术语及观点，同时也是IPA国际汉语注册教师对外汉语教学理论科目必讲、必学和必考的内容。

根据对外汉语教学实践活动的需要，本着理论联系实际的原则，为了方便广大学习者的使用，本指南特别增加了“教案设计”一章，本章包括综合课教案、听力课教案以及口语课教案，旨在帮助学习者在最短的时间里了解并掌握对外汉语教学的实践环节，同时加强了本书的实用性与可操作性。同是出于上述考虑，在本书的最后，又选取了在对外汉语教学过程中最常用也是最重要的40个语法项目附录于后，供学习者参考选用。

本书根据考试的特点而设计，因而在编写的程式与内容上不同于专业的对外汉语教学理论教材。本书的编写目的是使学习者在较短的时间里对对外汉语教学理论有全面且准确的了解，因此，本书区别于其他同类书籍的一个明显的区别就是文字简练、提纲挈领、便于记忆。

最后，希望本书能帮助考生提高复习效率，从而在考试中取得理想的成绩。

编者于北京师范大学
2010年5月

目 录

丛书编写说明

随着中国在世界的影响力日益加大，中国越来越受到国际社会的关注，外国人学汉语的热情也随之高涨，“汉语热”随处可见。据教育部统计，目前全世界每年约需要1万名对外汉语教师，而我国仅能派出2000人。预计到2015年底，全球学习汉语的人数将达1.5亿人，至少还需要500万名汉语教师。

然而，目前市场上的汉语教师队伍却出现了良莠不齐的现象。从未进行过系统汉语教学学习的人也敢上台讲课，不仅吓走了老外，还扰乱了市场。很多高校和汉语培训机构为找到合格的汉语教师而伤透了脑筋。

市场亟待一个统一、严格、科学又权威的标准来规范汉语教师这一行业，有必要对从事汉语教学的人士进行考核，达到一定标准后颁发相应的资格证书，持证上岗，从而有效避免鱼目混珠、误人子弟的现象发生，也为用人单位选拔人才提供依据。

在这样的背景下，“国际注册汉语教师资格等级认证”应运而生。此认证由国家人事部授权，由国际认证协会（IPA）负责认证，在全国实行统一认证考核。对达到相应标准的考生，由国家人事部和国际认证协会（IPA）共同颁发相应的资格等级证书。此资格证书同时还获得了美国联邦政府的全面认可，并得到美国国务卿的签字，具有广泛的代表性和国际权威性，此证书也是中国地区唯一获得中国驻美国大使馆的全面认证，并由中国使领馆代表签字的证书。凭借国际注册汉语教师资格证书，可申请获得中国驻美大使馆对证书的鉴定，为出国留学及工作提供了便利条件。

此认证于2007年6月推出，一经推出便受到社会广泛关注和欢迎。报名人数每年呈几何倍增。2007年一年只有几十人报名，到2010年一次认证就有几千人报名。

但此认证有一定的难度，非对外汉语专业的人士欲一次性通过认证考核有一定的困难。每年的全国通过率都不是很高，尤其是通过高级的人数就更少了。为了帮助考生系统、有针对性地把握重点和难点，减少盲目性，提高复习效率，提升通过率，同时也解决目前市场上没有针对这一考试的复习参考书的问题，我们特别编写了这套丛书，以此帮助考生优化复习，从而顺利通过认证，达到自己理想的等级。

本丛书共3册，包括《对外汉语教学理论科目认证指南》、《中国文化科目认证指南》、《现代汉语科目认证指南》，内容上按照《国际注册汉语教师资格等级认证大纲》编写。结构上更是纲举目张，文字简练、提纲挈领、便于记忆、精讲多练成为本丛书最大的特点，这也是本丛书与其他同类书籍的一个明显的区别。本丛书是考生复习备考的必备丛书。

本丛书的体例也是针对认证考试而设计的，每章一般分为三个部分：备考提示、重点知识、备考习题。“备考提示”简明扼要地概括本章节的备考方法、出题规律以及应考对策等，有效提升学习者的复习效率与应考水平；“重点知识”部分以简洁有序的形式罗列出最重要的知识点，便于学习者的理解和记忆；“备考习题”大多数都是依据重点知识的内容来编写的，以之巩固学习者对主要知识点的理解和记忆。

需要说明的是，本丛书对于相关知识点的编选是严格依照《国际注册汉语教师资格等级认证大纲》来进行的，它是对应考者最基本的要求。因此，我们建议应考者务必熟练掌握本书的全部内容。同时，本套丛书对于同类别的其他各种考试也有一定的参考价值。

此套丛书的编写从立项到出版为时一年之久，十多家对外汉语界的重点院校和二十多位专家学者参与了编著，大家为此付出极其辛苦的劳动。在此，谨代表广大考生向他们表示诚挚的谢意。这里尤其要感谢北京大学、北京师范大学、北京语言大学、中国传媒大学、中国人民大学、首都师范大学、华中师范大学、沈阳师范大学、东北师范大学、西安交通大学、太原师范学院、云南大学、云南财经大学的相关院系部门和老师们对本套丛书给予的大力支持和辛勤付出。特别鸣谢京师环宇国际汉语教师培训基地的老师们，他们对本套丛书投入了很大精力，付出了辛勤劳动。

本丛书对欲考取对外汉语教师资格证书的人来说是工具用书，但并不表示可以完全取代其他参考用书。对外汉语是一门博大精深的学问，即使取得资格证书仍需不断学习、不断提高，如此方能在对外汉语教学的事业里发展壮大。

由于丛书编写时间紧迫，如发现有不足之处，还请大家批评指正。

国际注册汉语教师资格审查委员会办公室
2010 年 5 月

国际注册汉语教师资格等级认证说明

凡符合报名条件的人员，可到本人所在省、自治区、直辖市报名点咨询相关问题，办理报名手续。

一、国际注册汉语教师资格等级认证基本情况

（一）认证时间：每年1月、6月、10月下旬的周六日。

（二）认证等级：

同一试题，根据认证分数的高低确认等级。每科目满分为150分。分初级（90—104分）、中级（105—127分）和高级（128分以上）。【外语除外，只需合格（90分）即可。】等级就低不就高。

（三）认证科目：

1. 基础综合：含现代汉语（50分）、中国文化（50分）、对外汉语教学理论（50分，其中教案设计20分）三部分。

2. 外语：达到90分即可。如有相关外语证书，可免考。（见附件）

3. 课堂教学能力测试：见附件。

说明：基础综合和外语科目考试时间为150分钟，课堂教学能力测试考试时间为15分钟。

（四）认证大纲：见相关科目认证大纲。

（五）认证地点：北京大学、北京师范大学、中国传媒大学、中央民族大学、华中师范大学、沈阳师范大学、中共沈阳市委党校、青岛大学、山东师范大学、郑州大学、云南大学、云南财经大学、黑龙江大学、江苏总工会干部学校、合肥师范学院、东北师范大学、山西师范大学、内蒙古大学、西安教育学院、西安外国语大学、四川大学、西南民族大学、重庆工商大学、华南师范大学、深圳大学、深圳国际人才教育中心、厦门大学、福州师范大学、上海儒森教育进修学校、北京京师环宇国际教育中心等。

二、国际注册汉语教师资格等级认证报名

（一）报名时间：考前两周停止报名。

（二）报名条件：大学专科（含）以上学历或在校大学生大二（含）以上或出国留学人员（凭借留学证明，学历放宽至高中），并且参加过本认证培训者。

（三）报名程序：

1. 报名人员须提交以下材料（材料不齐全者不予受理）：

（1）填写《国际注册汉语教师职业资格认证报名表》一份，并粘贴本人近期2吋正面免冠彩色照片。

（2）大学专科（含）以上学历证书复印件（报名时还须出示学历证书原件），在校大学生大二（含）以上学生证复印件（报名时还须出示学生证原件）。学历为高中的出国留学人员需提供留学证明的复印件（报名时还须出示学生证原件）。

（3）身份证或护照复印件（报名时还须出示身份证件原件）。

（4）免考外语者，需交相关证书的复印件（报名时还须出示证书原件）。

（5）另再交2吋近期正面免冠彩色照片各三张。

2. 缴纳报名费及认证受理费：见各省市考务中心的信息。

3. 本人因故不能报名的，可以委托他人帮助办理报名手续，受委托人在报名时需出示报名人的委托书原件和报名材料。

4. 准考证于考前五天左右发放。

三、国际注册汉语教师执业资格证书领取

通过IPA认证考试的人员，在考试后一个半月左右，就能拿到IPA国际注册汉语教师资格等级证书。

四、联系方式

见各省市报考中心及信息网站：www.dwhy123.com，www.dwhy.com.cn。

附件：

1. 外语水平免试的证书列表

下列证书可作为外语水平免试证明，其他外语水平的证明和成绩不作为该项认定有效材料。

（1）国内高等院校外国语言文学专业专科（含）以上学历证书；

（2）2005年6月以前的大学英语四级或六级合格证书或统考口语证；

（3）2005年6月以后的新大学英语四级认证425分（含）以上的成绩单；

（4）全国外语水平认证（WSK）（含日语、法语、德语、俄语）成绩合格证书；

（5）全国英语等级认证（PETS）三级（含）以上证书；

（6）2004年4月20日（含）以后的72分（含）以上托福认证成绩证明或雅思认证5分（含）以上成绩证明；

（7）日本语能力测试（JLPT）二级或一级合格证；

（8）德国大学语言能力测试（TestDaf）3级、4级或5级（TDN3-5）语言证书；

（9）韩国语水平测试（KLT）中级（3级或4级）或高级（5级或6级）合格成绩证明；

（10）全国学士学位英语统一认证成绩合格证；

（11）全国职称外语等级认证成绩合格证；

（12）该外语为其本民族母语，出示有效身份证件；

（13）留学他国的人员，出示在该国学习的毕业证书或相关语言证书或在读证明。

2. 课堂教学能力测试说明

满分：150 分　时间：15 分钟

项目	衣着得体	教态从容	普通话标准	讲解正确	时间分配合理	教学方法多样	学生学有所获	总分
得分	7.5	7.5	22.5	30	22.5	37.5	22.5	150

（1）测试目的：

①考察应试者对汉语的词汇、语法、听力、口语教学等所掌握的教学方法运用的熟练程度及随机应变的能力。

②考察应试者普通话水平和上课时的教态、仪表、声音等表现的优劣。

（2）测试要求：

应试者从指定的短文中找出自认为重要的一个词语和一个语法点，在 15 分钟内用 3 种以上的教学方法讲练清楚。讲课时，把下面坐着的学生当作外国留学生，如在真实课堂一样讲课，不是说课。整个过程用摄像机录制，后交于评委集中打分。

国际注册汉语教师资格等级认证大纲
对外汉语教学理论

一、对外汉语教学总论

1. 对外汉语教学的性质和任务
2. 对外汉语教学的发展历史及主要成果
3. 与对外汉语教学学科相关的理论基础

二、语言习得理论

1. 语言习得理论概述（第一语言习得与第二语言学习）
2. 儿童语言习得的过程及理论解释
3. 第二语言学习

（1）第二语言学习的概念及基本特征

（2）第二语言学习理论的介绍及主要特点

（3）影响第二语言学习的内外因素

三、第二语言教学法主要流派

1. 各主要流派的基本情况

（1）语法翻译法

（2）直接法

（3）听说法

（4）功能法

（5）交际法

（6）任务教学法

2. 各教学流派的利弊

四、汉语作为第二语言教学的理论与应用

1. 汉语作为第二语言教学的性质和特点

（1）汉语作为第二语言教学的性质和目的

（2）汉语作为第二语言教学与汉语作为母语教学之异同

（3）汉语作为第二语言教学的教学类型与教学模式

（4）汉语作为第二语言教学的课程及课程设置

2. 汉语作为第二语言教学的课程设计
（1）总体设计的定义、过程和方法
（2）教学原则与教学目的
（3）课程设计与教学大纲
（4）课程规范

五、汉语作为第二语言的课堂教学

1. 课堂教学的性质、要求与设计
2. 课堂教学的主要内容
（1）语言知识的学习（语音、词汇、语法、汉字）
（2）语言交际技能的训练（听、说、读、写）

六、对外汉语教材的编写、选择与使用

1. 教材分类的多样性
2. 教材编写的通用原则
3. 教材编写依据
4. 教材编写的基本程序
5. 教材分析和评估

七、汉语作为第二语言的测试与评估

1. 语言测试的目的
2. 语言测试的基本类别
3. 命题的方式和种类
4. 关于中国汉语水平考试 (HSK) 的基本情况

八、汉语作为第二语言教学中的文化因素

1. 跨文化交际
（1）基本概念
（2）语言系统中的交际文化因素
（3）文化冲突与适应
（4）跨文化交际的基本态度
2. 文化教学的层次
（1）语言系统中的文化因素
（2）基本国情和文化背景知识
（3）专门文化知识
（4）其他文化知识
3. 文化教学的基本原则和方法

（1）语言教学与文化教学的关系
（2）文化教学的基本方法

九、现代教育技术在对外汉语教学中的应用

1. 计算机及常用软件在对外汉语教学中的使用
2. 现代声像技术与对外汉语教学
3. 多媒体汉语计算机辅助教学
4. 汉语网络远程教学的特点及影响
5. 现代教育技术与对外汉语教学

十、教案设计

1. 教案的基本模式
2. 教案设计的过程
3. 教案实例
（1）综合课教案
（2）听力课教案
（3）口语课教案

国际注册汉语教师资格等级认证
对外汉语教学理论样卷及参考答案

国际注册汉语教师资格等级认证
对外汉语教学理论

一、填空题（共 10 分）

说明：第 1—10 题是填空题，每题有一空，每空 1 分，共 10 分。请仔细阅题，并在划线处填入恰当的答案。

1. 精听在于理解听力内容细节，泛听在于 ____________。
2. 现代教育在“老师的教”和“学生的学”之间更重视 ____________。
3. 对母语是英语的学生来说，__________ 是他们学习汉语语音时遇到的最大困难。
4. 对外汉语教学基本的语言观是：语言是人类最重要的交际工具；最基本的目的观是培养 ________________________。
5. 在目的语国家学习时，文化接受过程一般分为四个阶段：观光期、____________、逐渐适应期、接受或完全复原期。
6. 偏误时指由于目的语掌握不好而产生的一种 ____________ 错误。
7. 塞林克提出的中介语是指介于本族语和 ____________ 之间的独立的语言系统。
8. 对外汉语教学的全部教学活动的四大环节是指总体设计、教材编写、课堂教学、____________。
9. 1981 年出版的 ____________ 是我国第一部吸收功能法优点的对外汉语教材。
10. ____________ 是第二语言教学的中心环节和基本方式，是语言教师的根本任务。

二、选择题（共 10 分）

说明：第 11—20 题是单项选择题，每题只有一个可选项，请根据题目要求选择适切的选项，每题 1 分。

11. HSK 的初中级考试中没有（　　）。

A. 主观性试题　　B. 客观性试题

C. 分立式试题　　D. 综合性试题

12.（　　）认为第一语言会对目的语有干扰。

A. 偏误分析　　B. 中介语理论

C. 对比分析　　D. 认知理论

13. 情感因素主要包括（　　）。

A. 认知方式　　B. 动机态度

C. 性格习惯　　D. 智力能力

14. 韩礼德提出的是（　　）。

A. 刺激反应论　　B. 先天论

C. 认知论　　D. 语言功能论

15. 测试区分受试者的水平差异的性能是（　　）。

A. 信度　　B. 效度　　C. 区分度　　D. 反馈度

16. 为了测量测试对象的第二语言水平和一阶段来学习的情况，最常用水平测试和（　　）。

A. 诊断测试　　B. 潜能测试　　C. 标准化测试　　D. 成绩测试

17.（　　）主张“发现学习”。

A. 认知法　　B. 直接法　　C. 语法翻译法　　D. 听说法

18. 社会语言学家认为的语言交际能力不包括（　　）。

A. 听　　B. 说　　C. 读　　D. 译

19. HSK 属于（　　）考试。

A. 成绩测试　　B. 水平测试　　C. 诊断测试　　D. 潜能测试

20.《商贸汉语》属于（　　）教材。

A. 语言技能类　　B. 语言知识类

C. 文化知识类　　D. 特殊用途语言

三、名词解释（共 5 分）

说明：每题 2.5 分，共 5 分。

21. 负迁移

22. 中介语

四、简答题（5 分）

说明：请根据第二语言教学的理论和实践加以简述。

23. 外国学生常说“请等等我一下”这样的句子。请你先分析一下产生这种偏误的主要原因，并加以改正；再简要说明应采取的教学对策或方法。

五、教案设计（20 分）

说明：本题是教案设计题，共 20 分。请阅读和分析所给的课文，并写出一个完整的教案。（教学对象：中级班；课时：90 分钟）要求如下：

1. 教案的步骤要清晰有序；

2.（1）请至少找出两个应教授的语法点，并对其中的一个语法点进行分析和处理（要求：讲清这个语法点的形式和意义；举出两个同类的例子；设计出一种相应的语法练习题）。(2) 请挑出六到八个应教授的重点词语，并对其中的一组近义词进行分析和处理（要求：解释这两个词语的意义；举例说明其用法）。

约 会

（今天是星期天，王华跟女朋友方莉约定九点在公园门口见。可是方莉来到公园门口的时候，王华已经等了半个小时了。）

王华：你怎么现在才来?

方莉：真对不起！我七点就准备出发了，可出门前有个朋友请我帮忙做一件事，我只好帮助他。到了车站，等车又等了半个小时。一下车，我就奔来了。你等了我半天了吧?

王华：我等了你半个钟头了。

方莉：对不起！现在，我去买票吧。

王华：我一来就买了。

方莉：票好买吗?

王华：不好买。我排了 10 分钟的队，才买到票。

方莉：那咱们进去吧！

参考答案

一、填空题（共 10 分）

1. 抓大意　2. 学生的学　3. 声调　4. 学习者运用这种语言进行交际的能力　5. 挫折期　6. 规律性　7. 目的语　8. 成绩测试　9.《实用汉语课本》　10. 课堂教学

二、选择题

11. A　12. C　13. B　14. D　15. C　16. D　17. A　18. D　19.B　20. D

三、名词解释

21. 第一语言的某些结构特点和使用第一语言的某些经验，可以对第二语言的习得和使用有启发作用。对第二语言学习起积极作用的叫正迁移作用；第一语言的某些特点、原有的生活经验和民族习惯在某些方面、某种程度上对第二语言有干扰甚至抗拒作用，就是第一语言对第二语言获得的负迁移作用。

22. 是指在第一语言习得过程中，学习者通过一定的学习策略，在目的语输入的基础上所形成的一种既不同于起第一语言也不同于目的语、随着学习的进展向目的语逐渐过渡的动态语言系统。中介语是第二语言学习者特有的一种目的语的语言系统。这种语言系统在语音、词汇、语法、文化和交际等方面既不同于自己的第一语言，也不同于目的语，而是一种随着语言学习的进展向目的语的正确形式不断靠拢的动态语言系统。

特点：(1) 是一种语言系统，在语音、词汇、语法方面都有自己的系统，可以作为一种交际工具。(2) 不是固定不变的，随着学习的进展不断地向目的语靠拢。(3) 中介语的存在是由于偏误产生的，要掌握目的语，就要慢慢减少中介语的偏误。(4) 中介语的偏误有反复性。(5) 中介语的偏误有顽固性，其中一部分进而形成僵化。

四、简答题（5分）

偏误原因："等等"是动词重叠形式，动词重叠以后已经能够表示"时间短或次数少"，因此不能再和动量词以及时量词如"一会儿"等组合。这种偏误主要来源于目的语知识的泛化，学习者将动词后面可以跟动量或时量补语的规则不恰当地泛化了。实际上，动词重叠后的使用与非重叠形式还是有一定区别的。应改为"请等我一下"或"请等等我"。

教学方法：

在讲授动词重叠形式时可采用对比法，将动词非重叠形式后面加动量或时量补语的情况与重叠形式对应起来，进行一下对比。这样学习者很容易领悟到两者在使用中存在的差别。

教学对策：

在学习动词重叠的过程中要强化学习者这样的意识，即动词重叠形式本身能够表示动作持续的时间短或动作的次数少，不需要用动量或时量词语进行补充说明。

五、教案设计（20分）

教学目标和要求

1. 理解并掌握时量补语的语法意义和用法。

2. 要求学生能运用所学的词语和语法造句，并进行成段表达。

教学重点

1. 语法：时量补语。

2. 词语：奔、半天、好、只好、帮忙、帮助、小时、钟头

教学方法

1. 运用图表的形式，讲解时量补语的语法意义和用法。

2. 设计真实情景进行操练（例：某位学生迟到了）。

教学环节和步骤

1. 组织教学

例：今天，你几点来教室的？

他迟到了吗？

2. 复习旧课

例：今天，你很早就来了吗？他几点才来？

你怎么现在才来？

你一起床就来了吗？

3. 学习新课

（1）学习重点词语——设计情景进行操练。

（2）朗读课文：领读——学生分角色读。

（3）讲解重点语法"时量补语"：动词＋时量补语（表示动作持续多长时间）

* 持续性动词有三种形式：我学汉语学了一年。（重复动词）

我学了一年（的）汉语。

（动词 + 时间 + 宾语）

汉语我学了一年。（宾语提前）

* 非持续性动词的形式：

他离开中国一年了。

（动词 + 宾语 + 时间）

* 宾语是人称代词的形式：

我等他等了十分钟。（重复动词）

我等了他十分钟。

（动词 + 人称代词 + 时间）

（4）设计情景进行操练：

例：昨天，你看电视看了多长时间？

你来中国，坐了几个小时的飞机？

今天他迟到了，我们等他等了多长时间？

（5）进行成段表达，板书提示：

今天是星期天，王华跟方莉约定9点在公园门口见。方莉7点就__________了，可是出门前有个朋友请她__________，她只好__________。到了车站，等__________又__________小时。所以，她到公园门口的时候，王华已经等________小时了。

王华早就到了，他一到就去买票了，可是票不______买，他排_______才买到票。

4. 本课小结：重点生词、语法。

5. 布置作业：

结合某次迟到，写一篇作文或对话。

要求：词语方面

语法方面：时量补语、一……就……、就、才

第一章 对外汉语教学总论

备考提示

1. 对外汉语教学的性质和任务需重点掌握，为历年来多次考试的重点。
2. 对外汉语教学的发展概况一般了解即可，对提及的多个“第一”的内容要掌握。
3. 与对外汉语教学学科相关的理论基础有所了解，会对相关理论做一般性论述。

重点知识

一、对外汉语教学的性质、任务与目的

1. 性质：对外汉语教学既是一种第二语言教学，又是一种外语教学，它是对外国人进行的汉语作为第二语言的教学。

2. 任务：对外汉语教学的任务是研究——

（1）汉语作为第二语言教学的基本原理；

（2）汉语作为第二语言教学的全过程；

（3）教学体系中各种因素的相互关系和相互作用；

（4）教学规律和习得规律；

并由此制订出对外汉语教学的基本原则和方法，用以指导教学实践，提高教学效率和教学水平。

3. 根本目的：培养学习者运用汉语进行交际的能力。

对外汉语教学的目的是培养外国汉语学习者运用汉语进行交际的能力。因为：

（1）语言是最有效的交际工具，语言教学就是要让学习者掌握这个工具；

（2）学习者学习第二语言的目的是为了进行交际；

（3）社会发展的需要：国际交往日益密切，跨文化交流越来越频繁；

所以，对外汉语教学以培养学习者运用汉语进行交际的实际能力为根本目标。

4. 补充问题：

（1）几个概念的区别

母语：从亲属角度来说，一般指本国本民族的语言。（mother tongue）

外语：从国别角度来说，一般指外国语或者外族语。（foreign language）

第一语言：通常是指学习者的母语或本族语而言的。尽管有些时候，学习者的第一语言并不是他的母语或本族语。（first language）

第二语言：第二语言是指人们在获得第一语言之后再学习和使用的其他语言。在习得第一语言以后学习和使用的本民族语言、本国其他民族的语言和外国语言都可以叫做第二语言。（second language）

目的语：是指人们正在学习并希望掌握的语言。不论是外语或非本族语，甚至是非第一语言的母语，只要成为一个人学习并争取掌握的目标，都可以称为目的语。（target language）

（2）第二语言教学的外延。应当包括：

① 针对中国人的外语教学；

② 针对第一语言为非汉语的少数民族的汉语教学；

③ 针对第一语言为非汉语的海外华人的汉语教学；

④ 针对外国人的汉语教学。

（3）“语言教学”和“语言学教学”的区别

① 目的不同

语言教学的目的是培养学生的语言交际能力，并不是以系统讲授语言学理论知识为目标。

② 教学内容不同

语言教学的内容主要表现在：

A. 深刻认识和熟练掌握语言的三大要素（语音、词汇、语法）以及书写符号系统的基本规则和特点。

B. 学习与掌握基本的语用规则，确保语言使用的得体性。

C. 学习与掌握各项言语技能（听、说、读、写）。

D. 学习与掌握和目的语密切相连的文化知识，有利于语言交际的正确、得体。

③ 教学原则不同

语言教学重在精讲多练，以培养学生的语言交际能力为目的，实践性较强；语言学教学则以语言学基础知识的讲述为主，注重系统性与理论性。

④ 教学方法不同

语言教学侧重实践的方法，注意对各项语言技能的训练；语言学教学主要以语言知识的讲述为主。

（4）语言教学的教学原则

① 正确处理语言要素的讲授与言语技能、言语交际技能训练的关系。

② 正确处理语言的形式结构教学与语义结构教学的关系，采用语法、语义、语用相结合的原则。

③ 正确处理语言教学与文化因素教学的关系，采用结构、功能、文化相结合的原则。

④ 根据教学对象的特点选择和编排教学内容的关系，遵循循序渐进、逐步提高的原则。

⑤强化学习环境，自觉学习与自然习得相结合的原则。

⑥以学生为中心、以教师为主导的原则，充分发挥学生的主动性、创造性。

（5）语言能力和语言交际能力

① 语言能力（linguistic competence）：指一个人掌握语言要素和语用规则的内在能力，属于语言的范畴。其中，语言要素包括：语音、词汇、语法、文字。语用规则就是语言的使用规则，即根据一定的语境对谈话的内容、言语的语音形式、词、句式以及应对方式等进行选择的规则。（语言要素＋语用规则＝语言知识 语言知识＋相关文化知识＝语言能力的构成因素）

② 语言交际能力（communicative competence）：指一个人用语言进行交际的能力，包括口头交际能力和书面交际能力，是一种外在的能力，属于言语范畴。（语言交际能力＝言语技能＋言语交际技能）

美国社会学家海姆斯对“交际能力”提出了著名的四个参数：合语法性、心理可行性、社会文化得体性以及实际出现概率。社会语言学家认为语言交际能力主要包括：

A. 语言能力：对语言形式和规则本身的掌握，是准确理解和表达话语字面意义所需要的基本能力。

B. 社会语言能力：指能够根据各种语境因素适当、得体地运用和理解语言的能力，是交际能力中的核心部分。

C. 话语能力：也称语篇能力，指把语法形式和意义组合起来，构成不同体裁的口语或书面语语篇的能力。

D. 策略能力：也称应变能力，指运用各种交际策略解决交际困难、弥补交际障碍或增强交际有效性的技能。

二、建国以后对外汉语教学的发展概况

1. 对外汉语教学事业的发展

（1）初创阶段（20 世纪 50 年代初—60 年代初）（汉语预备教育）

① 1950 年，清华大学成立东欧交换生中国语文专修班（中国第一个从事对外汉语教学的专门机构）。周培元、吕叔湘负责业务工作；邓懿、王还等 6 人授课。

② 1952 年，由于全国高校院系调整，该班调到北大，更名为北京大学外国留学生中国语文专修班。

③ 1960 年 9 月，北京外国语学院成立了非洲留学生办公室。

（2）巩固和发展阶段（20 世纪 60 年代初中期）

① 1962 年，北京外国语学院外国留学生部独立，成立了外国留学生高等预备学校（中国第一所以对外汉语教学为主要任务的高校）。

② 1964 年，该校正式更名为北京语言学院。

③ 1964 年暑假，越南政府派来 2000 名留学生，全国从事对外汉语教学的单位扩展到 23 所。

④ 1965 年暑假，北京语言学院为新从事对外汉语教学的 22 所院校举办了对外汉语教师培训班。

⑤ 1965 年下半年，北语创办《外国留学生基础汉语教学通讯》（中国第一份对外汉语

教学的专业刊物）。

⑥ 1962 年，中国国际广播电台开始了汉语教学节目。

⑦ 1966 年，由于“文革”，教学停顿。1971 年，北京语言学院被撤消。

（3）恢复阶段（20 世纪 70 年代初—70 年代末）

① 1972 年 6 月，北京交通大学首先接受 200 名来自坦桑尼亚和赞比亚的学生。

② 1972 年 10 月，北京语言学院恢复，1973 年秋开始接受留学生。

（4）蓬勃发展阶段（20 世纪 70 年代末至今）

① 1987 年 7 月，“国家对外汉语教学领导小组”成立，常设机构“国家对外汉语教学领导小组办公室”负责日常工作。

② 从 20 世纪 70 年代下半期开始是对外汉语教学确立为独立学科的时期。

A. 学历教育

1975 年，北京语言学院试办四年制“汉语言”专业本科（以留学生为对象）。

1986 年，开始招收现代汉语专业外国硕士研究生。

1997 年，建立全国第一个对外汉语教学“课程与教学论”硕士以及带有对外汉语教学方向的“语言学和应用语言学”博士点。

B. 学科建设

1978 年，第一次提出把对外国人的汉语教学作为一个专门学科来研究。

1983 年 6 月，正式提出了“对外汉语教学”的学科名称。

1984 年 6 月，中国第一个对外汉语教学的专门研究机构“语言教学研究所”在北京语言学院成立。

1984 年 12 月，“对外汉语”发展成为一门新的学科。

C. 学术机构

1988 年，“中国对外汉语教学学会”从“中国教育学会”中独立出来。

1987 年，“世界汉语教学学会”成立，首任会长朱德熙。

D. 主要学术刊物

1979 年 9 月，《汉语教学与研究》正式发行，成为中国第一个对外汉语教学的专业刊物。

1987 年 9 月，《世界汉语教学》转为世界汉语教学学会会刊，季刊。

1987 年，北京语言学院创办了以外国留学生为主要阅读对象的期刊《学汉语》。

E. 师资

1983 年，北京语言学院首先开设对外汉语教学本科专业。

1986 年，北京语言学院、北京大学开始招收该专业研究生。

1997 年，北语建立全国第一个“对外汉语教学学科教学论”（后改为“课程与教学论”）硕士专业，并获准建立全国第一个带有对外汉语教学方向的“语言学及应用语言学”博士学位点。

③ 现在全国有 300 多所高校开展对外汉语教学工作。

2. 对外汉语教学法的发展

（1）初创阶段（20 世纪 50 年代初—60 年代初）的主要特点：

① 重视系统的语法、词汇教学。

② 以语法为主线，但同时强调听、说、读、写技能的培养，强调“四会”能力全面发展。

③ 培养实际运用汉语的能力。

（1958 年，正式出版对外汉语教材《汉语教科书》，这是中国第一部正式出版的对外汉语教材。）

（2）改进阶段（20 世纪 60 年代初—70 年代初）的主要特点：

① 对原有的教学方法进行改进，强调实践性的原则。

② 提倡“精讲多练”的教学原则。

③ 采用“相对直接法”。

④ 教学内容结合学生专业学习的需要，注意学以致用。

（1977 年出版的《汉语课本》首先引入了句型教学。）

（3）探索阶段（20 世纪 70 年代初—80 年代初）的主要特点：

① 对实践性的原则再探讨再认识。

② 打破旧的、脱离实际的科学系统，代之以符合实践性原则的新的科学系统。

③ 引入了情景教学，提出“听说领先”的原则，形成“以听说法为主，结构为纲，兼顾传统方法”的综合教学法。

具体措施：

① 试验分课型，施行听说、读写分开的教学。

② 改革精读课，加强听力、阅读技能的训练，进一步改名为“综合技能课”（即综合课）。

（1980 年出版的《基础汉语课本》以常用句型为重点。）

（4）改革阶段（20 世纪 80 年代至今）的主要特点：

① 引进“功能法”，提出结构与功能相结合的原则。

② 根据成年人学习第二语言的过程与特点，提出“先读写，后听说”。

③ 按照语言技能分课型。

④ 对本科课程教学法进行全面、科学的研究。90 年代提出了“结构、功能、文化相结合”的教学原则。

⑤对教学活动进行了科学化、规范化的研究（如统一制订教学大纲）。

3. 对外汉语教学学科理论的发展

对外汉语教学学科理论的发展始于 20 世纪 50 年代初，至今已基本形成了系统的理论体系。

（1）50 年代初—60 年代初是十年初创阶段。在这个阶段，形成了初步的研究成果。1953 年，周祖谟发表第一篇对外汉语教学论文，即《教非汉族学生学习汉语的一些问题》。1958 年，中国第一套对外汉语教材《汉语教科书》出版。这一阶段对外汉语教学学科理论的主要特点是：

① 一开始就注意把对外国人进行的汉语教学与对本国人进行的母语教学区分开来，尝试探索第二语言教学的方法和途径。

② 在重视词汇、语法等语言知识的教学的同时，强调四项基本技能的训练，侧重语言的实践与运用。

（2）20 世纪 60 年代初—“文革”之前。该阶段主要总结建国以来的教学经验。其主要特点是提出一系列对外汉语教学原则。

①“精讲多练、课内外相结合”的实践性原则。

② 用汉语进行课堂教学的直接性原则。

③ 教学内容与学生专业相结合的学以致用原则。

④“语文并进”，听说读写全面要求、阶段侧重的主要教学原则。

（3）20 世纪 70 年代的主要特点是着重解决教学中的实际问题。

① 在探讨具体教学问题时，受到听说法、结构主义语言学、行为主义心理学的影响。

② 把实践性原则定为对外汉语教学的基本原则。教材编写注意进行句型教学试验。

③ 在语言技能训练方面，听说和读写作为两类课型分别进行教学。

（4）20 世纪 80 年代的主要特点是真正从学科建设的高度进行教学理论研究。

① 进行了对外汉语教学的宏观研究。

② 对教学过程中的各个环节和教学活动展开了全面的研究。

③ 对教学法以及教学原则的研究进一步深化。

④ 提出用不同的方法训练不同的语言技能。

（5）20 世纪 90 年代以来，对外汉语教学理论研究逐步深化，引进了心理学、教育学、社会学、文化学、跨文化交际学等相邻学科的理论成果。

三、与对外汉语教学学科相关的理论基础

由于对外汉语教学规律是由语言学规律、心理学规律、一般教育学规律等共同决定的，对外汉语教学学科的相关理论基础主要包括语言学、心理学和教育学。

1. 语言学

（1）普通语言学基础理论

（2）社会语言学理论（比较关注语言的社会功能）

主要研究语言与社会的关系。把语言放在社会环境中进行研究，从社会生活的变化与发展中探究语言变化发展的规律，同时也从语言的变化和发展中考察社会生活的某些倾向和规律。

（3）心理语言学理论（比较关注语言的心理过程）

主要研究语言习得、语言学习和使用的心理机制和心理过程。如对儿童习得母语的研究。

（4）现代汉语语言学理论

2. 心理学

语言学习理论、语言教学理论同心理学理论有着密切的联系。心理学是研究心理现象

及其规律的科学。语言教学活动的研究必然包括对学习者心理活动的研究。历史上的每一种教学法流派都有一定的心理学基础。

心理学是对外汉语教学的重要理论支柱。一些热点、难点问题的研究表明，语言教学必须将语言学和心理学结合起来。包括对外汉语教学在内的第二语言教学理论要取得新的突破，可以从心理学的理论和研究方法当中吸取营养。

（1）跟语言学习相关的心理学基本概念

① 注意

A. 定义：注意是人们对外界作用于感官的信息刺激做出的选择性反应。

B. 注意有一定范围：指人在一瞬间内清楚地觉察或认识客体的数量。

C. 注意的稳定性：指维持在同一对象上的时间或知觉指向相应内容上的时间。

D. 注意的分配：人在进行两种以上的活动时，同时注意不同对象的能力。

② 知觉

A. 定义：是将感官获得的信息转化为有组织有意义的整体的过程。

B. 知觉的组织性：将输入的刺激组成有意义的整体。

C. 知觉的整体性：由知觉的完整模式补充或解释部分（不完整）的感觉。

D. 知觉的恒常性：指对于熟悉的物体，不管它的透明度、颜色、形状和大小有什么变化，在知觉中的映像始终保持不变。

③ 记忆

A. 定义：指知觉到的信息被编码、转化、联系、储存、复述、回忆以及遗忘的加工过程。

B. 编码过程：人脑将感官接收的信息转化为神经系统可传递和贮存的代码，信息代码化为一个个相互联系的“结节”储存于记忆库。人脑可根据需要从记忆库中提取编了码的信息来复述或记忆，但也可能因长久不提取而遗忘。

C. 短时记忆：以听觉、视觉编码；长时记忆：以语义编码。

④ 遗忘：与记忆相对，是一种普遍的心理现象。

A. 迅速遗忘：机械学习的材料未及时复习，便会产生迅速遗忘现象。

B. 不易遗忘：有意义学习的材料，如一般概念和原理，则不易遗忘。

C. 防止遗忘：改进学习方法，适当安排复习。

（2）语言学习跟人的心理活动的关系

一般认为，个体的心理因素会影响到学习的效果。表现为：

① 认知风格，即个体对信息加工的方式。

A. 依存型：看待事物往往倾向于从宏观上着眼，从整体上审视。

B. 独立型：看待事物常常倾向于以微观为基点，善于对每一个具体信息做出分析和辨认，而较少受整体背景影响。

C. 沉思型：深思熟虑，谨慎而全面地检查各种假设，错误较少。

D. 冲动型：遇到问题急于作答，常常出错，元认知（对认知的认知）和记忆水平不高。

E. 容忍型：易于接受概括性广的类别，能兼收并蓄。

F. 排他型：易于接受概括性小的类别，有时会拒绝与他想法不一致的内容。

② 情感因素（见“第二语言学习的个体差异”）表现为：

A. 动机：是驱使人们活动的一种动因和力量，其中包括个人的意图、愿望、心理的冲动或试图达到的目标等。

外国人学习汉语动机多种多样，如掌握汉语交际工具、升学需求、研究需要等等。

B. 态度：是个体对客观事物的一种反应，是情感上的好恶以及因之而采取行动的倾向性。具体可以分为积极、一般和消极的态度。

3. 教育学

（1）教学活动的基本结构

① 底层结构：跟第二语言教学有关的客观条件。

② 基础结构：有关理论和一定的教学经验。

③ 主体结构：即教学活动四大环节，包括总体设计、教材编写（选择）、课堂教学、测试。

A. 总体设计：指在全面分析教学的各种内外因素、综合考虑各种可能的教学措施的基础上制定出最佳教学方案。

B. 教材：是课堂教学的基础和主要依据。

C. 课堂教学：是全部教学活动的中心环节，实施检验总体设计的内容。

D. 成绩测试：不但是对课堂教学的检验，也是推动课堂教学、促进教学质量提高的重要因素。

④ 上层结构：指教学原则。

一方面，教学原则是总体设计的一项重要内容，能够反映教学实践活动的客观规律；另一方面，也是教学法的一个组成部分，指导全部教学实践活动。

（2）“以学生为中心”的教育观点

20 世纪 50 年代末 60 年代初，美国心理学家、教育学家布鲁纳提出：

① 学生是学习的主体。

② 要发挥学生的积极性、主动性。

③ 学习应是一种创造和发现式的活动。

④ 要培养学生独立分析问题、解决问题的能力。

备考习题

一、填空题

1. 对外汉语教学的教学规律是由 ________、__________、_________ 等共同决定的。
2. 社会语言学家认为语言交际能力包括：__________、__________、__________ 和 ______________。
3. 语言能力和语言交际能力一般分为理解和表达两种，表达能力指的是 __________ 的能力。

4. 美国社会学家海姆斯对“交际能力”提出了著名的四个参数：合语法性、________、________、________。
5. 对外汉语教学既是一种第二语言教学，又是一种________。
6. 对外汉语教学的学科理论基础主要包括：语言学、________、________。
7. 对外汉语是对外国人进行的汉语作为________的教学。
8. 语言交际能力是由言语技能和________构成的。
9. 记忆分为________和________两种。
10. 对外汉语的学科理论主要包括教学理论和________两部分。

二、选择题

1. 中国正式出版的第一部对外汉语教材是（　　）。

A.《基础汉语课本》　　B.《基础汉语》
C.《汉语教科书》　　D.《实用汉语课本》

2. 世界汉语教学学会的会刊是（　　），该刊物为（　　）。

A.《汉语学习》　　B.《世界汉语教学》
C.《语言教学与研究》　　D.《学汉语》
E. 月刊　　F. 双月刊　　G. 季刊　　H. 双季刊

3. 对外汉语教学作为一个需要专门研究的学科而被提出来的时间是（　　）。

A. 20 世纪 80 年代初　　B. 20 世纪 80 年代中
C. 20 世纪 80 年代末　　D. 20 世纪 70 年代末

4. 第一部以结构和功能相结合的原则编写的对外汉语教材是（　　）。

A.《初级汉语课本》　　B.《基础汉语课本》
C.《汉语教科书》　　D.《实用汉语课本》

5. 国内少数民族的汉语教学属于（　　）。

A. 母语教学　　B. 外语教学　　C. 第二语言教学　　D. 对外汉语教学

6.《教非汉族学生学习汉语的一些问题》是建国以来第一篇全面讨论对外汉语教学理论的论文，它的作者是（　　）。

A. 王还　　B. 邓懿　　C. 吕叔湘　　D. 周祖谟

7. 按照先后顺序可以把一个人所习得、掌握的语言划分为（　　）。

A. 母语和外语　　B. 第一语言和第二语言
C. 强势语言和弱势语言　　D. 本族语和非本族语

8.“以学生为中心”的教育观点是由 20 世纪 50 年代末 60 年代初（　　）心理学家、教育学家布鲁纳提出。

A. 德国　　B. 法国　　C. 英国　　D. 美国

9. 1977 年《汉语课本》首先引入了（　　）教学。

A. 语法　　B. 词汇　　C. 句型　　D. 任务

10. 运用各种交际策略解决交际困难、弥补交际障碍或增强交际有效性的技能称作

(　　)。

A. 应变能力　　B. 语言能力　　C. 学习能力　　D. 话语能力

三、名词解释

1. 第二语言
2. 第二语言教学与对外汉语教学
3. 言语技能与言语交际技能
4. 应用语言学

四、论述

1. 简要说明对外汉语教学中的实践性原则。
2. 如何理解在对外汉语教学中要以学生为中心?

第二章 语言习得理论

备考提示

本章为历次考试的重点，需着重掌握其中的术语概念及相关论述。

1. 掌握儿童语言习得理论的基本概念。

2. 掌握语言对比分析、语言偏误分析、中介语理论的概念及之间的区别。

3. 了解影响第二语言学习的外部因素。

4. 掌握第二语言学习的个体差异。

重点知识

一、语言习得理论概述

1. 第一语言习得通常指的是儿童不自觉地自然地掌握、获得第一语言（通常是母语）的过程和方法。

2. 第二语言学习通常指的是在学校环境（即课堂）中有意识地掌握第二语言的过程和方式。

3. 第一语言习得与第二语言学习的对比

（1）共同点：

① 都是为了获得语言能力和语言交际能力。

② 都需要建立声音和意义之间的联系。

③ 都需要建立形式结构和语义结构的联系。

④ 都需要经过感知、理解、模仿、记忆、巩固和应用几个阶段。

⑤语法习得都有一定的顺序。

⑥都使用某些相同的学习策略。

⑦都是主观条件和客观条件相结合的结果。

（2）不同点：习得是潜意识的自然的获得；学习是有意识的规则的掌握。

① 学习的主体不同，理解和接受能力也不同。

② 学习的起点不同。

③ 学习的条件、环境、方式不同。

④ 学习的目的和动力不同。

⑤语言输入的情况不同。

⑥语言习得过程不同。

4. 第一语言习得的基本特点（儿童）

（1）生理特点：儿童1至5岁是生长发育时期。

（2）心理特点：是借助于实物、实情建立概念，形成思想与思维能力的过程。

（3）社会环境特点：有较为自然的语言环境，时常沉浸于其中，父母与家人用照顾式语言不断地与其进行交际。

（4）活动方式：通过交际，进行反复模仿、记忆、应用，达到熟练的程度。

5. 第二语言学习的基本特征

（1）生理特征：已过了青春期的成年人，发音器官、肌肉已经定型，模仿能力相对较差，思维已经定型，智力发育健全。

（2）心理特征：掌握大量概念，具有较强的思维能力。一般具有完整的第一语言系统，能够借助第一语言来学习第二语言。

（3）社会环境特点：一般来说，语言环境受到限制。

（4）活动方式：以课堂学习为主，进行反复操练。

二、儿童语言习得

1. 儿童第一语言的习得过程

儿童习得第一语言的过程分为五个阶段：

喃语阶段（6个月至12个月）

独词句阶段（1岁左右）

双词句阶段（1岁半以后）

电报句阶段（2岁至2岁半）

成人句阶段（2岁半至5岁）

2. 对于儿童习得母语的基本过程的理论解释

（1）刺激—反应论

刺激—反应论是行为主义心理学的理论，盛行于20世纪40年代和50年代，代表人物是美国心理学家华生（早期）和美国心理学家斯金纳（后期）。

主要理论观点：语言不是先天所有的，是后天通过刺激—反应—强化（反应后的刺激）的模式而获得的，是后天形成的一套习惯。因此在儿童习得语言的过程中，外部的环境条件是十分重要的。

（2）先天论

先天论又称“内在论”，代表人物是美国语言学家乔姆斯基。

主要理论观点：(LAD假说)，认为人类具有一种先天的、与生俱来的习得语言的能力，这种能力就是受遗传因素所决定的“语言习得机制”(LAD)。

该派提出“普遍语法”的存在：即人类语言所普遍具有的语言原则。当儿童接触到具体语言时，就会不断地通过假设—验证的演绎过程对“普遍语法”的参数进行定值以形成具体语言的规则系统。换言之，后天环境对于语言习得的作用是次要的，只是起了触发语言机制和提供具体语言材料的作用。与生俱来的语言能力才是人类获得语言的决定因素。

（3）认知论

代表人物：瑞士儿童心理学家皮亚杰。

主要理论观点：儿童语言的发展是天生的心理认知能力与客观经验相互作用的产物，是认知能力的发展决定了语言的发展。

（4）语言功能论

代表人物：英国语言学家韩礼德。

主要理论观点：语言是交际工具，儿童习得语言就是学会如何用语言表达自己的意思，达到自己的交际目的。

三、第二语言学习

1. 定义：通常指的是在学校环境（即课堂）中有意识地掌握第二语言的过程和方式。

2. 学习第二语言时，主体的生理、心理、社会环境的特点与活动方式的基本特征（详见第二章第一部分）。

3. 第二语言学习基本过程的理论解释

（1）语言对比分析

① 定义：是将两种语言的系统进行共时比较，以揭示其相同点和不同点的一种语言分析方法。

② 代表人物：美国语言教育家拉多。

③ 理论基础：结构主义语言学、行为主义心理学、迁移理论。

④ 主要观点：认为第二语言的获得也是通过刺激—反应—强化的过程形成的习惯，但与第一语言习得不同的是第一语言对第二语言已产生了迁移的作用，两种语言最不同的地方最难掌握，相同或类似的地方较易掌握。因此主张对两种语言进行语音、语法对比，从而确定两者的相同点和不同点，并对不同点加强教学。

⑤四个步骤：描写、选择、对比、预测。

⑥意义与局限：对比分析在第二语言教学中发挥着重要作用，能够使学习者在对比中更快地掌握各种语言技能。其局限在于因重视语言形式而忽视语义。

（2）语言偏误分析

① 定义：是对学习者在第二语言学习过程中所产生的偏误进行系统的分析，研究其来源，揭示学习者的中介语体系，从而了解第二语言学习的过程与规律。

（注意：失误与偏误的区别。失误指偶然产生的口误或笔误。偏误则是由于目的语掌握得不好而产生的一种规律性错误。）

② 代表人物：英国应用语言学家科德。

③ 理论基础：语言学理论、普遍语法理论、认知理论。

④ 偏误的来源：

A. 母语的负迁移。

B. 目的语知识的负迁移。

C. 文化因素的负迁移。

D. 学习策略和交际策略的影响。

E. 学习环境的影响。

⑤对待偏误的态度

对偏误的本质要有全面的认识。首先要看到偏误的积极意义；对偏误在交际中所产生的影响要有实事求是的估计；偏误是第二语言学习中必然有的现象，是正常的现象，伴随习得过程的始终。一方面，利用对比分析和偏误分析，教师可以预先了解学习者可能产生的偏误及偏误的来源，以便在教学过程中掌握主动；从一开始就提供正确的示范，让学习者正确地模仿、记忆和运用并帮助学习者克服偏误。另一方面，纠正学习者的偏误，要有正确的态度，采取不同的纠正方式，启发学生自己发现并改正错误。

⑥意义与局限

意义：

A. 是对比分析的继承和发展；

B. 改变了人们对语言学习过程中所出现的偏误本质的认识；

C. 对习得过程和习得规律的研究丰富了第二语言教学理论，促进了第二语言教学的发展。

局限：

A. 正确与偏误的区分标准很难确定；

B. 研究还很不平衡；

C. 对偏误来源的分析有陷入公式化倾向；

D. 未研究中介语的正确部分。

（3）中介语理论

① 定义：是第二语言学习者特有的一种目的语的语言系统。这种语言系统在语音、词汇、语法、文化和交际等方面既不同于自己的第一语言，也不同于目的语，而是一种随着语言学习的进展向目的语的正确形式不断靠拢的动态语言系统。

② 代表人物：美国语言学家塞林克。

③ 特点：

A. 是一种语言系统，在语音、词汇、语法方面都有自己的系统，可以作为一种交际工具。

B. 不是固定不变的，而是随着学习的进展不断地向目的语靠拢。

C. 中介语的存在是由于偏误产生的，要掌握目的语，就要慢慢减少中介语的偏误。

D. 中介语的偏误有反复性。

E. 中介语的偏误有顽固性，其中一部分进而形成僵化。

④ 中介语理论的研究目的：

A. 可用来研究第二语言学习过程、习得规律。

B. 能了解学生产生偏误的原因。如：母语的负迁移、目的语知识的负迁移、“泛化”、文化因素的负迁移、交际策略的影响、学习环境的影响等等。

（4）影响第二语言学习的外部因素

① 社会环境对目的语学习的影响——目的语环境 / 非目的语环境。

② 课堂语言环境与第二语言学习——有关联 / 无关联。

③ 充分运用语言环境提高学习效率。

（5）第二语言学习的个体差异

① 生理因素

② 认知因素

A. 智力

B. 语言学习能力

C. 学习策略和交际策略

D. 认知方式

③ 情感因素

A. 动机：是驱使人们活动的一种动因和力量，其中包括个人的意图、愿望、心理的冲动或企图达到的目标等。学习动机分为融合型动机和工具型动机。

B. 态度：是个体对客观事物的一种反应，是情感上的好恶以及因之而采取行动的倾向性。

C. 性格：内向性格与外向性格。

备考习题

一、填空题

1. 许多学者提出区分语言的学习与习得这两种不同的概念。按照一般的看法，儿童掌握母语的过程和方法是 ____________。
2. 瑞士著名心理学家 __________ 对儿童认知发展理论和儿童语言发展理论做出了重要贡献。
3. 有一种假说认为，存在着语言学习的最佳年龄或时期，过了这段时期，语言学习成功的可能性就大大减低了。这种假说称为 __________ 假说。
4. 典型的对比分析包括描写、选择、对比和 _______ 四个步骤。
5. 第二语言教学理论的发展过程中，现代教学理论在教师和学生之间更加强调以 ___________ 为中心，研究的重点在“教”和“学”之间更加重视 ___________。
6. 语言学习理论研究历来是 __________ 研究的重要领域。
7. 一部好的汉语教科书应该具有科学性、实用性、__________ 和趣味性。
8. 塞林克提出的“中介语”是指介于本族语和目的语之间的独立的语言系统。它是由 ____________ 创造的语言系统。
9. 美国语言学家乔姆斯基认为人类先天具有一种习得语言的能力，他把这种能力称为 ___________。
10. 就语言学习而言，__________ 和 __________ 是两种不同的认知方式。
11. 语言功能论是 ________ 提出的。

12. 行为主义刺激—反应论认为语言是后天形成的 ＿＿＿＿＿。

二、选择题

1. 偏误分析的理论基础是（　　）。
   A. 对比分析　　B. 中介语理论
   C. 结构主义语言学　　D. 心理语言学
2. 对比分析的理论基础是（　　）。
   A. 中介语理论　　B. 认知语言学
   C. 结构主义语言学　　D. 心理语言学
3. 《入门阶段》、《英语初阶》是（　　）的纲领性文件。
   A. 功能法　　B. 听说法　　C. 认知法　　D. 听说法
4. 中介语理论的代表人物是（　　）。
   A. 塞林克　　B. 乔姆斯基　　C. 华生　　D. 斯金纳
5. 偶然产生的口误或笔误是（　　）。
   A. 偏误　　B. 错误　　C. 失误　　D. 疏忽
6. “LAD”假说中 LAD 的意思是（　　）。
   A. 语言学习规律　　B. 语言习得机制
   C. 语言辅助机制　　D. 语言进步机制
7. “儿童语言的发展是天生的心理认知能力与客观经验相互作用的产物”属于（　　）。
   A. 先天论　　B. 功能论　　C. 反映论　　D. 认知论
8. 韩礼德是（　　）国语言学家，提出了语言功能论。
   A. 美　　B. 英　　C. 德　　D. 法
9. 中介语的偏误有（　　）。
   A. 反复性　　B. 单纯性　　C. 一次性　　D. 易变性
10. 驱使人们活动的动因和力量是（　　）。
   A. 态度　　B. 情感　　C. 动机　　D. 意志

三、名词解释

1. 迁移与泛化
2. 正迁移与负迁移
3. 失误与偏误
4. “语言习得机制”（LAD）假说
5. （第二语言）学习动机
6. 第二语言学习策略
7. 中介语

四、论述

1. 简论第一、第二语言学习的区别性特征（简述儿童第一语言学习与成人第二语言学习的差异）。
2. 对外汉语教学与中国的英语、日语等外语教学有何异同?
3. 成人学习外语的特点是什么?
4. 简述对比分析在第二语言中的作用。
5. 对于学生外语表达中的错误，有两种不同的主张和做法：一种是主张“有错必纠”，一种主张对错误有一定的容忍度，不同意“有错必纠”。你同意哪种看法？请说明理由。

第三章
第二语言教学法的主要流派

备考提示

本章重点是了解第二语言教学法的主要流派，并最大限度地掌握各教学流派的优缺点，从而在教学中扬长避短，为我所用。

重点知识

主要教学法流派一览表

名称	产生时间	代表人物	语言学基础	心理学基础
语法翻译法（传统法）	18世纪末	奥伦多夫（德）	机械语言学或历史比较语言学（认为所有语言同出一派）	官能心理学或联想心理学
直接法（改革法、自然法）	19世纪后半叶（西欧）	贝立兹（德） 帕莫·艾盖尔特(英)	语音学和科学的连贯语法	联想主义心理学（强调语言和客体的直接联结）
听说法（结构法、句型法）	20世纪40—50年代（美国）	弗里斯（美） 埃比（美）	结构主义语言学（强调先搞清语言的结构）	行为主义心理学（华生）（刺激—反应—强化）
功能法	20世纪70年代（西欧）	威尔金斯（英） 亚历山大（英） 威多森（英） 范埃克（荷兰）	社会语言学 功能语言学	人本主义心理学
任务教学法	20世纪80年代（英国）	伯拉胡（英） 纽南（澳）	社会语言学 功能语言学	人本主义心理学 心理语言学

一、语法翻译法

1. 时间： 18世纪末

2. 代表人物： 奥伦多夫（德）

3. 语言学理论基础： 机械语言学或历史比较语言学，认为所有语言同出一派

4. 心理学理论基础： 官能心理学或联想心理学

官能心理学：认为心理的各种官能可分别加以训练。例如：记忆、思考、概括等等。

联想心理学：把一切心理活动看成是各种感觉或观念的集合。心理活动主要依靠联想的力量来实现。例如：记忆单词依靠和母语的联系。

5. 主要特点：

（1）以语法为纲，教授系统的语法知识。

（2）课堂教学使用学生的母语，教学法以翻译为主。

（3）注重书面语的教学，轻视口语。

（4）教授所谓的“规范”语言，重视使用所谓经典的“名著”、“原著”。

6. 成就：

（1）强调母语教学的理论。

（2）强调发展学生的智力，学生语法知识扎实。

（3）由于注重书面语教学，学生的阅读水平和能力比较高。

（4）对教师本身的口语要求不高，该教学法使用方便。

7. 缺点：

（1）忽视言语交际技能，尤其是听说能力的培养。

（2）过分依赖学生的母语和翻译的手段，无法培养用目的语思维的习惯和能力。

（3）过分强调语法的重要性，教学内容枯燥乏味或深奥难懂。

二、直接法（改革法、自然法）

针对“语法翻译法”的弊端，“直接法”直接采用目的语来教授目的语，所以又称“自然法”。主张仿照幼儿学习母语的自然过程来设计第二语言教学过程。直接法是作为语法翻译法的对立物在西欧出现的，代表人物是贝立兹。他主张在外语教学中完全不使用学生的母语。直接法的优点之一是有利于学生外语思维和语言能力的培养。

1. 时间地点：19 世纪后半叶西欧

2. 代表人物：贝立兹（德），古安（法），帕莫·艾盖尔特（英）

3. 心理学基础：联结主义心理学，强调语言与客体的直接连接

4. 主要特点：

（1）在语言和外界事物或经验之间建立起直接的联系，在教学过程中不使用学生的母语。

（2）以口语为基础（与语法翻译法针锋相对）。

（3）句本位，以句子为基本的教学单位。

（4）以模仿为主。

（5）用归纳法教授语法规则：先操练，后归纳。

5. 优点：

（1）打破语法翻译法一统天下的局面，开创了教学的新方法。

（2）利用直观手段（实物、图片等）进行教学，有利于调动学生的积极性。

（3）注重口语教学，有利于培养学生的言语能力。

（4）不使用学生母语，有利于培养学生用目的语思维的能力。

6. 缺点：

（1）把幼儿习得母语和成人学习第二语言混为一谈是不对的。

（2）完全摒弃学生母语，忽视其积极意义，有时反而影响学生对目的语的理解。

（3）过分强调模仿、重复，不符合成年人需要适当给出规则的学习方式。

（4）对读写能力的培养不够重视。

三、听说法（结构法、句型法）

1. 时间：20 世纪四五十年代，二战时美国训练士兵所采用的方法，语言学基础是结构主义语言学。

2. 代表人物：弗里斯（美），埃比（美），拉多（美）

3. 语言学基础：结构主义语言学，强调先搞清语言的结构

4. 心理学基础：行为主义心理学（刺激—反应—强化，这种心理学理论的创始人是华生）

5. 特点：

（1）听说领先，读写跟上。

（2）反复实践，养成习惯。

（3）以句型为中心进行训练。

（4）排斥或限制使用母语（不完全排斥）。

（5）大量使用现代化教学技术手段。如：录音、语音实验室、视听设备等。

（6）注重语言结构的对比，找出学习的难点，确定学习的重点。

（7）有错必纠。

6. 优点：

（1）以句型作为第二语言教学的中心，并建立了一套培养语言习惯的练习体系。

（2）充分利用对比分析的方法，找出教学的难点和重点。

（3）不完全摒弃学生母语，克服了直接法的某些片面性。

（4）广泛利用各种现代化教学技术手段。

7. 缺点：

（1）轻视读、写能力的培养。

（2）机械的句型操练枯燥乏味。

（3）以教师为中心，忽视了学生的主观能动性和创造性。

（4）偏重语言形式的训练，忽视内容和意义。

四、功能法

1. 时间地点：20 世纪 70 年代西欧

2. 代表人物：威尔金斯（英），亚历山大（英），威多森（英），范埃克（荷兰）

3. 语言学基础：社会语言学，功能语言学

4. 心理学基础：人本主义心理学

5. 主要特点：

（1）把第二语言／外语教学的目标设定为培养学生运用目的语进行交际的能力。

（2）以功能（和意念）为纲。功能是用语言做事，完成一定的交际任务，并把语法视为实现功能的手段来让学生掌握。

（3）教学过程交际化，为学生创造接近真实交际的语言环境。

（4）单项技能训练和综合性训练相结合。

（5）强调表达内容，不过分苛求形式，对学生的错误有较大容忍度。

（6）圆周式地安排语言材料，循序渐进地组织教学。

（7）发展“专用语言”教学，针对不同的交际需要开展教学。

6. 优点：

（1）有助于培养学生使用语言进行交际的能力。

（2）从学生的实际需要出发，确定学习目标。

（3）教学过程交际化。

（4）发展“专用语言”教学。

7. 缺点：

（1）如何科学地设定功能、意念项目，如何合理地安排教学内容，具有一定难度。

（2）如何把语言结构和功能结合起来，存在实际操作的困难。

（3）对学生出现的错误采取容忍态度的“度”难以准确把握。

（4）难以真正达到课堂交际化的程度。

（5）教师培训、教材编写、测试评估还难以适应教学法的要求。

五、任务教学法

任务教学法是交际法在20世纪80年代的新发展，即以学生为中心，教师设计具体的、带有明确目标的活动，让学生用目的语通过协商、讨论，解决这一具体问题。所谓“任务”指有目标的语言交际活动。

1. 时间地点：20世纪80年代的英国

2. 代表人物：伯拉胡（英），纽南（澳）

1982年，英国人伯拉胡在印度教英语时提出此方法。1989年，纽南发表文章正式提出交际课堂的任务设计。任务教学法在90年代成为英语教学的国际主流。

3. 语言学基础：社会语言学，功能语言学

4. 心理学基础：人本主义心理学，心理语言学

5. 主要特点：

（1）通过完成任务来学习语言。

（2）强调学习活动和学习材料的真实性。

（3）学习活动以表达意义为主。

（4）强调以学生为中心而不是以教师为中心。

（5）鼓励学生创造性地使用语言。

（6）鼓励课堂教学活动之间的联系。

6. 操作过程（Ellis 模式）：

(1) 任务前阶段：让学生了解任务，调动学生的积极性。

(2) 任务中阶段：学生以小组为单位实施任务。

(3) 任务后阶段：分析语言重点。

7. 优点：

有利于解决传统语言教学中长期存在的问题，优化学生的学习方式，激发学生的学习动机，发展学生的自主学习能力，全面提升学生的综合素质。简而言之：以具体任务为学习动力（教和学的内容是具有真实价值的交际行为），以完成任务的过程为学习过程，以展示任务的成果而不是考试的成绩来体现学习成就。

8. 缺点：

(1) 教师的指导作用发挥不够。

(2) 学生摸索的时间长，效果无法预测。

9. 与交际法的关系：通过前期准备、后期巩固等步骤，弥补了交际法在语言使用方面的准确性、流利性问题。

备考习题

一、填空题

1. 反对过分依赖机械性的重复操练，主张发挥学生的智力，注重对语言规则的理解和创造性的运用，目标是全面掌握语言，这种教学法是 ________，语言学基础是 ________ 和 ________，心理学基础是 ________。
2. 直接法是作为 ________ 的对立物在西欧出现的，代表人物是贝力兹。
3. ________ 产生于 70 年代的西欧，创始人是英国语言学家威尔金斯。
4. 任务教学法的代表人物是胡伯拉和 ________。
5. 用语言做事，完成一定的交际任务，并把语法视为实现功能的手段来让学生掌握的教学方法是 ________。
6. 偏重语言形式的训练，忽视内容和意义的教学法是 ________。
7. ________ 主张仿照幼儿学习母语的自然过程来设计第二语言教学过程。
8. 18 世纪末，由奥伦多夫开创的一种语言教学法是 ________。
9. 听说法的语言学基础是 ________。
10. 功能法的心理学基础是 ________。

二、选择题

1. 外语教学听说法产生于（　　）国，其语言学基础是（　　）。

   A. 法国　　B. 美国　　C. 英国　　D. 加拿大

E. 结构主义语言学　　F. 转换生成语言学
G. 历史比较语言学　　H. 机械语言学

2. 听说法的心理学理论依据是（　　），这种心理学理论的创始人是（　　）。
A. 认知心理学　　B. 构造主义心理学
C. 行为主义心理学　　D. 儿童心理学
E. 巴甫洛夫　　F. 斯金纳　　G. 皮亚杰　　H. 华生

3. 功能法产生于（　　）。
A. 30 年代的苏联　　B. 40 年代末的美国
C. 60 年代初的北欧　　D. 70 年代初的西欧

4. 直接法的优点之一是（　　）。
A. 重视思维和理论知识的作用
B. 有利于学生外语思维和言语能力的培养
C. 促成学生第一语言的正迁移
D. 注重全面培养学生的听、说、读、写能力

5. 强调以句型为中心反复进行操练的教学法是（　　）。
A. 听说法　　B. 直接法　　C. 认知法　　D. 功能法

6. 直接法主张在外语教学中（　　）。
A. 应该尽量利用学生的母语
B. 完全不使用学生的母语
C. 有限度地使用学生的母语
D. 直接把目的语翻译成母语

7. 直接法的直接是指（　　）。
A. 不用书本，直接听说　　B. 直接用目的语教授目的语
C. 直接翻译目的语　　D. 直接去目的语国家学习

8. 专用语言教学是在（　　）基础上发展起来的。
A. 语法翻译法　　B. 直接法
C. 认知法　　D. 功能法

9. 以下不属于任务教学法的主要特点的是（　　）。
A. 强调学习活动和学习材料的真实性
B. 强调以学生为中心而不是以教师为中心
C. 学习活动以表达意义为主
D. 注重书面语的教学，轻视口语

10. 以下不属于听说法缺点的一项是（　　）。
A. 轻视读、写能力的培养
B. 机械的句型操练枯燥乏味
C. 完全摒弃学生母语，忽视其积极意义

D. 偏重语言形式的训练，忽视内容和意义

三、名词解释

1. 功能教学法
2. 任务教学法

四、论述

1. 简要说明20世纪60年代以后，外语教学流派的发展趋势和外语教学法研究内容的变化。
2. 简述认知法的理论基础及其主要特点。

第四章
汉语作为第二语言教学的理论与应用

备考提示

本章内容是历次考试中所占分值较大的部分，复习时要给予足够的重视。

1. 掌握汉语作为第二语言教学的性质和目的的相关概念和区别。
2. 能区分汉语作为第二语言教学与汉语作为母语教学之异同。
3. 了解汉语作为第二语言教学的教学类型和课程类型。
4. 掌握汉语作为第二语言教学课程设计的基本内容。
5. 了解汉语作为第二语言教学的教学目的、教学原则和课程规范。

重点知识

一、汉语作为第二语言教学的性质和特点

（一）性质和目的

1. 性质： 对外汉语教学是对外国人进行的汉语教学，其性质是一种外语教学，也可以说是一种第二语言教学。

2. 目的： 对外汉语教学的目的是培养外国汉语学习者用汉语进行社会交际的能力。简单地说，就是培养汉语交际能力。因为：

（1）语言是交际工具，教语言就是要让学习者掌握这个工具。

（2）学习者学习第二语言的目的是为了进行交际。

（3）社会发展的需要。国家交往日益密切，人员交流往来越来越频繁。

（二）汉语作为第二语言教学与汉语作为母语教学之异同

1. 起点不同

第一语言教学：由于学生已经具备了一定的语言能力和语言交际能力，教学主要是为了进一步培养他们的表达能力和读写能力，以及用语言进行交际的能力。

第二语言教学：由于学生不具备最起码的言语能力，教学要从教目的语最基本的发音开始，要从教说话开始。

2. 第二语言学习受到第一语言的影响

由于第二语言学习是在第一语言习得的基础上进行的，所以第一语言会对第二语言学习产生影响，既可产生正迁移，也可产生负迁移。充分利用正面影响，预防或排除负面影响，是第二语言教学要解决的重要问题。第一语言习得不存在这些问题。

3. 第二语言学习中存在着文化冲突

语言既是文化的组成部分，又是文化的载体。学习第二语言自然要了解、学习、掌握第二语言的文化。第二语言教学的任务之一就是要结合语言教学进行相关的文化教学，扫除第二语言学习中的文化障碍。第一语言习得中不存在此问题。

4. 教学对象不同以及对象的学习目的不同

第一语言教学的对象一般是儿童，学习目的比较单一，就是为了掌握母语的交际能力。第二语言教学的对象大部分是成年人，因而学习者的目的多样，影响着教学内容及教学方法。

（三）汉语作为第二语言教学的教学类型

教学类型是指根据语言教学的某些综合特点划分出来的跟教学对象、教学目的、教学内容、教学组织形式等有关的类型。

第二语言教学类型可分为：

按教育性质分：普通教育（指中小学的第二语言教学）、预备教育、专业教育、特殊目的教育。

按学习期限分：长班（一学年及以上）和短班。

按教学组织形式分：班级教学和个别教学。

汉语作为第二语言教学的教学类型包括：

（1）汉语言专业教育；（2）汉语进修教育；（3）汉语短期教学；（4）汉语速成教学。

（四）汉语作为第二语言教学的课程类型

1. 综合课

是把语言要素、文化知识、语用规则的教学和言语技能、言语交际技能的训练等各项内容综合起来，培养学生综合运用语言能力的课程。目前，综合课是主干课程。

2. 专项技能课（口语、听力）

是以训练某项言语技能和言语交际技能为主的技能训练课，旨在培养学生的专项技能，具有专门性的特点。专项技能课一般都作为重点课程设置。

3. 专项目标课（报刊阅读、应用文写作）

是以一种有专门的教学目标和专项教学内容的特殊课程，重在培养学生在特定领域、特定方向的技能和能力，一般作为补充课程设置。

4. 语言知识课（语音、词汇、语法、修辞、文字）

指系统讲授语言知识的一类课程，包括语音、词汇、语法、修辞、文字等内容。

5. 其他课程

包括文化知识课、文学课、财贸经济类课程以及语言实践活动等等，一般作为选择性课程设置。

二、汉语作为第二语言教学的课程设计

（一）课程设计的基本内容

课程设计就是针对特定的教学类型和具体的教学对象，根据既定的教学对象所必备的

知识结构和能力结构来决定选定的课程类型，制定课程设置计划，同时要考虑有关的主客观条件，包括教学规模的大小。它是总体设计的核心内容，是联结总体设计、教材编写、课堂教学的中心环节。

1. 总体设计

（1）总体设计的定义

第二语言教学的总体设计是根据语言规律、语言学习规律和语言教学规律，在全面分析第二语言教学的各种主客观条件，综合考虑各种可能的教学措施的基础上选择最佳教学方案，对教学对象、教学目标、教学内容、教学途径、教学原则以及教师的分工和对教师的要求等做出明确的规定，以便指导教材编写（或选择）、课堂教学和成绩测试，使各个教学环节成为一个相互衔接的、统一的整体，使全体教学人员根据不同的分工在教学上进行协调行动。

最佳教学方案的选择——总体设计的根本任务要取得语言教学的最佳效果，就要遵循第二语言教学的客观规律，根据各种特定的条件，充分研究其共性和特殊性，在综合分析的基础上设计出适应解决各种普遍性矛盾和特殊性矛盾的最佳教学方案，把语言规律、语言学习规律和语言教学规律统一起来，把教学需要和各种客观条件统一起来，从而取得最佳教学效果。

教学环节的衔接主要指四大环节的衔接：总体设计、教材编写、课堂教学、成绩测试。

教学人员的分工：语言教学活动中教师的作用和地位可以从纵向和横向两方面来考察，这样就有纵向的衔接、连贯和横向的协调、平衡关系。总体设计在确定教学对象、目标、内容和原则的基础上可以进一步使全体教学人员明确教学的全过程以及自己在全部教学活动中的地位、分工，明确自己承担的任务，从而能自觉地担当起自己的教学工作并协调好与其他教学人员的任务和关系。

（2）总体设计的程序和方法

① 分析教学对象的特征

自然特征：年龄、国别、文化程度、第一语言文化与目的语及文化的关系。

学习目的：受教育目的、职业工具目的、职业目的、学术目的、临时目的。

学习起点：根据学习者的目的语水平而定。

学习时限：依据学校的教学制度而定或依据学习者的特殊要求而定。

② 确定教学目标

使用目的语的范围：使用目的语的领域及范围不同时，教学内容也应不同。

目的语水平的等级：指培养学生达到目的语水平的哪一个等级。

③ 确定教学内容的范围和指标

总体设计既要确定教学内容的范围，又要规定每一项内容的指标。如：词的数量；听、说、读、写四项分技能要达到的水平等等。

④ 确定教学原则

A. 语言要素：根据言语交际技能之间的关系。做法：

a. 以语法结构为纲编排教学顺序，以语言要素为中心组织语言材料。（听说法）

b. 以语法结构为纲编排教学顺序，以言语技能训练为中心组织语言材料。（听说法的改进）

c. 以功能项目为纲编排教学顺序，以言语交际技能训练为中心组织语言材料。（功能法）

d. 以语法结构为纲编排教学顺序，以功能项目和言语交际技能训练为中心组织语言材料。（结构—功能法）

B. 言语技能训练的方式：

a. 综合训练：在一门综合课中贯彻语言要素、语用规则、文化背景知识的综合教学以及言语技能、言语交际技能的综合训练。

b. 分技能训练：开设专项技能训练课。

c. 综合训练和分技能训练相结合：开设综合课的同时开设专项技能课。

C. 言语交际技能训练的方式：

a. 以结构为纲，兼顾功能。

b. 以功能为纲，兼顾结构。

c. 以话题为中心，注意结构和功能的结合。

d. 以情境为中心，注意结构和功能的结合。

e. 纯功能方式。

D. 语言要素和语言知识的关系：

总体设计要处理讲不讲语言知识和如何讲的问题。

E. 语言和文字的关系：

汉字教学的基本立场是：识繁写简。在汉字教学中还要考虑语素教学的方法。

F. 目的语和媒介语的关系：

要处理是否用媒介语解释、对比、对译以及何时用的问题。

G. 语言要素和相关文化知识的关系以及“知识文化”和“交际文化”的关系。

H. 语言和文学的关系。

上述八方面内容的选择依据：学生的特点以及由此确定的教学目标和内容；对语言教学规律的认识。

⑤规定教学途径

教学途径是指把教学目标、教学内容和教学原则贯彻到教学过程中去的途径。其主要内容包括：

A. 教学阶段：根据所要达到的教学目标，尤其是要达到的目的语等级，可划分为初、中、高三大阶段，这三大阶段又可进一步分解为几个小阶段。

B. 课程设计：

a. 是总体设计的核心内容。

b. 是联结总体设计、教材编写、课堂教学的中心环节。

c. 是针对特定的教学类型和具体的教学对象，参考课程类型制定课程设置计划。

C. 周课时和总课时

⑥明确教师分工和对教师的要求

了解自己所承担的工作性质、特点，明确自己的工作与其他教学任务间的关系，协调好相关教学工作。

（二）教学目的、教学原则的确定

1. 教学目的

（1）掌握汉语基础知识和听说读写基本技能，培养运用汉语进行交际的能力。

（2）增强学习汉语的兴趣和动力，发展智力，培养汉语的自学能力。

（3）掌握汉语的文化因素，熟悉基本的中国国情和文化背景知识，提高文化素养。

2. 教学原则

（1）掌握汉语基础知识和基本技能，培养运用汉语进行交际的能力原则。

（2）以学生为中心、教师为主导，重视情感因素，充分发挥学生主动性、创造性原则。

（3）结构、功能、文化相结合原则。

（4）强化汉语学习环境，加大汉语输入，自觉学习与自然习得相结合原则。

（5）精讲多练，在语言知识的指导下以言语技能和言语交际技能的训练为中心原则。

（6）以句子和话语为重点，语音、语法、词汇、汉字综合教学原则。

（7）听、说、读、写全面要求，分阶段侧重，口语、书面语协调发展原则。

（8）利用母语进行与汉语的对比分析，课堂教学严格控制使用母语或媒介语原则。

（9）循序渐进，螺旋式提高，加强重现原则。

（10）加强直观性，充分利用现代化教学技术手段。

（三）课程设计与教学大纲

1. 课程设计

在教育目的和具体教学目标的指导下，从学习者的特点和需要出发，根据专业对知识结构和能力结构的要求，最优化地选择教学内容、组织教学进程，形成合理的、相互配置的课程体系。

2. 教学大纲

教学大纲是根据教学计划以纲要的形式制定的，对具体课程的教学目的、教学内容、教学进度和教学方法进行规范的指导性文件。具体可以分为：语法大纲、句型大纲、词汇大纲、情景大纲、功能大纲、意念大纲。

（四）课程规范

课程规范是对外汉语教学步入科学化、标准化、规范化的产物，也是对外汉语教学课程研究进一步深化的结果。所谓课程规范，就是对课程本体和课程实施这两部分内容的规范，是在总结课程研究成果和课程教学经验的基础上，对现行课程和课程教学的一种新的认识。可以说，课程规范是教学智慧的结晶。

课程规范主要包括以下几部分内容：

1. 对课程性质及课程特点的规范

主要是为课程定性、定位，阐述课程的一些基本的或主要的观点。

2. 对课程目标和课程教学要求的规范

规定课程的教学目标和课程的具体任务，明确具体的教学要求。

3. 对课程内容的规范

主要从语言要素、语用规则、技能、话题、知识等不同角度确定教学内容，并明确教学的重点。

4. 对课程教学环节和教学方法的规范

针对课程教学的基本的或主要的环节提出具体的建议，并对每个环节的教学提出具有典型意义和广泛适应性的方法。

5. 对测试进行规范

主要针对测试原则、测试方式和成绩评定方式进行规范。

备考习题

一、填空题

1. 从教学性质上看，对外汉语教学既是一种＿＿＿＿＿，又是一种＿＿＿＿。
2. 第二语言教学的根本目的是培养学生的＿＿＿＿＿＿＿＿＿＿＿＿。
3. 汉语作为第二语言教学的课程类型有＿＿＿＿＿、＿＿＿＿＿、＿＿＿＿＿、＿＿＿＿＿、＿＿＿＿＿、＿＿＿＿＿。
4. 对外汉语教学的全部教学活动可概括为＿＿＿、＿＿＿、＿＿＿、＿＿＿等四大环节。
5 . 对外汉语语言要素的教学包括＿＿＿＿、＿＿＿＿、＿＿＿＿、＿＿＿＿等四个方面。
6 . 作为一项处理教与学关系的教学原则，对外汉语教学应以学生为＿＿＿，以教师为＿＿＿。设计教学环节要能够体现语言、＿＿＿＿＿＿＿和＿＿＿＿＿＿的规律。
7. 练习是语言学习的重要一环，练习的种类有理解性练习、模仿性练习和＿＿＿练习等等。
8. 广义的教学法指教学法体系，狭义的教学法指＿＿＿＿＿＿＿＿。
9. 对测试进行规范主要针对＿＿＿＿＿＿、＿＿＿＿＿＿和＿＿＿＿＿＿进行规范。
10. ＿＿＿＿＿＿＿＿是总体设计的核心内容。

二、选择题

1. 总体设计的根本任务是（　　）。
   A. 全面分析语言教学规律　　B. 选择最佳教学方案
   C. 协调各教学环节　　D. 对具体的课堂教学做出规定
2. （　　）是第二语言教学的中心环节和基本方式，是语言教师的根本任务。
   A. 口语训练　　B. 技能操练　　C. 教材编写　　D. 课堂教学

3. 对外汉语教学四大环节的中心环节是（　　）。

A. 总体设计　　B. 教材编写　　C. 课堂教学　　D. 语言测试

4. 中国传统的汉语“精读课”是属于什么类型的课程（　　）。

A. 就是通常所说的语法课　　B. 是阅读课的一种，与泛读课相对

C. 属于训练读写的综合性课　　D. 是听说读写全面训练的综合性课

5. 把汉语课分为会话课、阅读课、听力课，是根据（　　）来划分的。

A. 语言材料的性质　　B. 语言知识的内容

C. 语体风格　　D. 语言技能

6. 第二语言教学的中心环节和基本方式是（　　）。

A. 技能训练　　B. 知识传授　　C. 课堂教学　　D. 教材编写

7. 总体设计的根本任务是（　　）。

A. 编写组好的教材　　B. 采用最有效的教学方法

C. 设计最有针对性的考试　　D. 选择最佳教学方案

8. 在课堂教学中，一个教学环节是由若干个（　　）组成的。

A. 教学技巧　　B. 教学步骤　　C. 教学单位　　D. 教学对象

9. 结构、（　　）、文化相结合，是一条重要的教学原则。

A. 语义　　B. 语音　　C. 功能　　D. 语法

10. 一般来说，在留学生课程中，（　　）是主干课程。

A. 综合课　　B. 听力课　　C. 阅读课　　D. 口语课

三、名词解释

1. 总体设计
2. 教学大纲

四、论述

1. 为什么说对外汉语教学的基本目的是培养学习者运用汉语进行交际的能力？
2. 20 世纪 50 年代后期，对外汉语教学中提出了“结构—功能—文化相结合”的教学原则，谈谈你对这个教学原则的理解。
3. 简述汉语作为第二语言教学与汉语作为母语教学之异同。

第五章
汉语作为第二语言的课堂教学

备考提示

本章内容为历次考试中分值最大的部分，复习时要全面关注并灵活运用。

1. 牢记汉语作为第二语言的课堂教学的性质和地位。

2. 熟练掌握课堂教学中语音、词汇、语法、汉字和听、说、读、写、译的具体教学原则、教学方法和教学技巧，并能举一反三。

重点知识

一、课堂教学的性质和地位

1. 课堂教学的性质和地位

性质：是帮助学生学习和掌握目的语的主要场所，也是帮助学生学习交际的场所。

地位：是语言教学四大环节的中心环节，其他环节都要以课堂教学的需要为出发点，适应和满足课堂教学的要求。

2. 课堂教学的要求

（1）对教师的要求

① 教师必须全面展示和传授计划内的教学内容。

② 教师必须使学生全面理解所学的内容。

③ 教师要给予学生的模仿以正确的引导。

④ 教师要尽量给学生创造记忆的条件，教给学生记忆的方法，运用各种手段加强学生记忆。

⑤教师在课堂教学中要营造交际的气氛，创造交际的条件。

（2）对学生的要求

① 理解：理解所学的内容是学生学习目的语的第一步，也是学生在课堂教学中要完成的首要任务。

② 模仿：学生要尽量利用课堂教学的有利条件，充分地进行模仿操练，同时要把握模仿的正确性。

③ 记忆：学生要尽可能利用课堂教学的各种因素来帮助记忆。

④ 运用：学生在课堂教学中要积极主动地参与各项课堂操练和课堂活动，以达到运用所学语言进行交际的目标。

3. 课堂教学的设计（结构）

（1）教学过程

（2）教学单位

（3）教学环节（开头、展开、总结）

（4）教学步骤（一个教学环节可分为若干个教学步骤）

4. 课堂教学的原则、方法、技巧（见后）

二、课堂教学的内容

1. 语言和文字知识：语音、词汇、语法、汉字

对外汉语语言要素的教学包括语音、词汇、语法、汉字教学四个方面。

（1）语音教学

① 语音教学是对外汉语教学的基础。

② 任务：使学习者掌握汉语普通话标准的、正确的发音及普通话的语音系统，为运用汉语进行交际打下扎实的基础。

③ 原则：

A. 单音教学与语流教学相结合。

B. 通过语音对比突出重点和难点。

C. 循序渐进：声母→韵母→音节（+声调）⟶句子。

D. 理解与发音相结合。

E. 机械性练习与有意义的练习相结合。

F. 既有阶段性，又有长时性，要贯穿教学的始终。

④ 声母教学的难点

A. 送气音与不送气音的区别。（教学方法：吹纸）

B. 清音和浊音的区别。除 m、n、ng、l、r 外，都是清音。

C. 三组难音：z、c、s；zh、ch、sh；j、q、x。

⑤元音和韵母教学的方法

A. 利用学生母语的正迁移。

B. 采用以旧带新的方法。

C. 教复元音韵母和带鼻音韵母时，一般作为整体来教，不必分解。

⑥声调教学一靠模仿，二靠记忆。

（2）词汇教学

① 选词标准：常用、构词能力强。

② 对留学生的要求：初等应掌握 2500—3000 词；中等应掌握 5000 词左右；高等应掌握 8500 词以上。学完 800 学时（在中国相当于初等，即一年级）的零起点学生掌握的词汇量应该为 2500—3000 词。

③ 词汇教学法：

A. 翻译法

B. 直接法

C. 语素法：分析单个语素。例：飞机→能飞的机器。

D. 语境法：在一定的语境当中猜测词的意思。

E. 搭配法：语言在不同情况下的不同用法。例：举行 / 进行 + 双音词，且加比较重大的事情。

F. 语义联想法：在同一语义范围内进行联想以扩大词汇量。例：学校→校园→宿舍→教师→学生。

G. 比较法：近义词、反义词进行比较，可同时学。

H. 高复现率：词汇一定要重现。

④ 常用的练习方法：

练习是语言学习的重要一环，练习的种类有理解性练习、模仿性练习和记忆性练习等等。

A. 感知性练习：语音识别、词形识别（听录音、跟读、认读、给字注音）。

B. 理解性练习：如说出或写出反义词；同义词替换；图示方位词、数量词等等。

C. 模仿性练习：语音模仿（听录音、跟读）；汉字书写模仿（描写、临帖）。

D. 记忆性练习：以上各种都可以使用。

E. 应用性练习：选词填空，用指定的词造句等等。

⑤积极词汇（表达性词汇）：要学会用来表达思想和意图，能说能写。

消极词汇（接受性词汇）：只需理解意思即可，能听能读。

⑥词汇的记忆问题：

A. 重视首次感知。

B. 及时巩固，防止遗忘。

C. 定期复习，不断重复。

D. 口谈、耳听、眼看、手写多种渠道掌握。

（3）语法教学

语法在第二语言教学中的地位和作用：通过学习一定的规则，有利于理解和运用语言，可以帮助学习者在较短的时间内掌握语言形式。对大多数外国学生来说，汉语的语法体系和其母语的谱系关系相去甚远，所以更需要学习基本的语法形式，才能更好地掌握汉语。但另一方面，只注重语法的教学也是不够的，还需结合功能教学才能形成良好的交际能力。

① 任务和目的：让学生通过理解语法规则进而理解目的语本身，并使他们在交际中熟练地运用这些规则进行准确的表达。

② 教学内容：词→词组→句子→语段→语篇

③ 作用：

A. 通过学习一定的规则有利于理解和运用语言。

B. 总结规则符合成年人的学习规律。

C. 汉语的语法体系和大多数学生的母语语法谱系相去甚远，更需要掌握语言结构。

④ 教学方法：

A. 归纳法：先举例子，后总结规则。

B. 演绎法：先给语法规则，再举例说明。

C. 引导性的发现法：通过提问方式引导学生自己发现语法规则。

⑤练习方法：

从过程上讲：

A. 理解性练习（造句、填空、改错、翻译、是非选择）

B. 模仿性练习（句型操练）

C. 记忆性练习（反复、在不同语境中重现，以求长时记忆）

从性质上讲：

A. 机械性练习（老师控制、重复、替换……）

B. 有意义的练习（老师控制答案、问答）

C. 交际性练习（老师只控制答案类型，内容由学生发挥）

⑥重点语法项目的选择：

A. 选择最具代表性的语法点。

B. 根据学生的不同特点安排语法点。

⑦语法教学的原则：

A. 对比分析，突出重点、难点。

B. 语言形式结构的教学与功能教学相结合。

C. 语法教学要涉及语素（汉字、音节）、词、词组（短语）、句子、话语（语段、语篇）等各方面。

D. 精讲多练，以练为主。

E. 启发式教学，让学生自己发现规则。

（4）汉字教学

汉字是对外汉语教学的难点。

① 任务：读写结合。

② 常用字、次常用字：2500—4000 个左右。

③ 教学方法：

A. 先认读，后书写。学习汉字时要尽可能把形、音、义结合起来。

B. 先教可以作为部件的独体字，后教包含学过的独体字的合体字。

C. 由易到难，由简到繁。

D. 教学时要一笔一画展示新部件的笔画、笔顺及笔画与笔画、部件与部件之间的正确位置和布局。

E. 对象形字、指示字、会意字和形声字可根据学生的理解能力适当做些说明。

F. 帮助学生区分同音字的不同字义。

G. 对区别性小、易混淆的字要做对比练习。

H. 对学过的部件要及时归纳总结。

I. 做用字组词的练习，帮助学生学会通过字义理解词义。

J. 练习汉字的方法：描写、临写、抄写、根据拼音写、组词等。

2. 言语能力：听、说、读、写

言语能力主要包括听、说、读、写四项技能。据此，对外汉语课可以分为听力课、口语课、阅读课、写作课以及包括上述言语能力在内的综合课。也可以说，听说读写既是课堂教学的手段，也是重要的训练内容。

（1）听

① 听力的重要性：一般来说，听总是先于说，听的能力总要大于说的能力。

② 听力训练的任务：

A. 奠定听力基础：课内听力训练的目的是为了真实环境下的有效交际。

B. 培养听的技巧：抓关键，跳障碍。

C. 培养听的适应能力，包括方言、口音、非标准语言、条理不清、外界干扰等情况下的听力训练。

D. 培养注意力和开发智力，帮助学生养成好的听的习惯。

③ 听力训练的方法：

A. 听有很多的方式：如聆听（听老师口述、听录音、广播）；视听（看电影、电视、录像等等）。

B. 多种多样的听力练习形式：

a. 语音识别：包括对声、韵、调、连续、停顿、重音、语调、语气等方面的识别，练习形式包括听写（拼音）；注声母、韵母；标调号；标句重音等方法。

b. 词义理解：如听后解释、听后联想、猜测词义、多项选择解释词义、辨别近义词和同义词等等。

c. 语义理解：即对大于词的语言单位，如词组、句子、语段和语篇意义的理解，练习形式包括听后回答问题、画图、填表、选择正确答案、听后讨论等等。

④ 听力课

A. 精听训练：针对细节的听力练习。

B. 泛听训练：要求听取大意的练习。

C. 听读训练：把听和读结合起来，有利于建立音形义的联系，训练理解能力并帮助学习者掌握汉语词汇和汉字的特殊性。

D. 听写训练：这是听力课常见的一种训练方式，能够帮助学习者提高听话的理解能力，促进其语言技能的发展和智力的发展。

E. 听说训练：也是一种常用的手段，通过听述、听答等方式，把听和说的训练有机结合起来。

（2）说

语言能力和语言交际能力一般分为理解和表达两种。理解能力指的是听和读的能力，表达能力是指说和写的能力。口头表达能力是语言交际能力的重要内容。狭义的口头表达包括日常生活、社交、会议、会谈中的口头表达；广义上还包括讲演、讲课、解说等形式。针对口头表达能力的训练是对外汉语教学的重要任务之一。

① 口头表达训练的必要性：

口头表达训练也可称作说话训练，是指对口头语言表达的专门性训练。由于“说”在各项技能中的中心地位，口头表达训练也是技能训练中的一项核心内容。另外，要求学生综合学过的语言知识和材料进行创造性的口头表达，可以有效地促进第二语言的习得。

② 口头表达训练的内容和目标：

通过选择合适的主题，经过系统的学习与训练，培养学生的口头表达能力。

③ 口头表达训练的途径：

A. 课堂教学

B. 课外语言实践活动

④ 口头表达训练的方法：

A. 语音教学（原则：语音训练和说话训练相结合，单项训练和综合训练相结合）

a. 单项→综合：以音素教学为纲，从音素发音到拼音、从音节到词的发音、从声调到短句发音、声调。优点：可以有计划、有系统地组织练习材料，根据发音部位、方法对有关音素进行对比练习。缺点：进入语流后，语音语调易变形走样，而且单纯的语音练习会使学生感到枯燥。

b. 综合→单项：以话语教学为纲，从常用话语到词、词组，从句子到分解出新的音素、声调。优点：可以提高学生的学习兴趣；容易发现难点，可以进行针对性训练；音调训练比较自然。缺点：不能根据语音系统组织教学材料；容易放松对语音、语调的练习。

B. 音素教学和话语教学相结合

该方法主要是根据话语教学的要求选择言语材料，同时充分考虑语音教学的需要，尽量使选出的话语中出现的音素符合语音教学的需要。其优点在于可以兼顾说话教学和语音教学，使两者相互促进。

C. 用词组句的训练方法

a. 单项→综合：单词→词组→句子

b. 综合→单项：词组、句子→重点词、词组

D. 成段表达能力

一般认为，成段表达训练是在用词组句和组句成段训练过程完成后的训练内容，同时也是大段表达训练的先期过程。

a. 语言能力的训练：句与句→段；段与段→篇

b. 逻辑思维能力的训练：掌握目的语的思维方式。

训练方法：复述课文；叙述体与会话体互换；围绕一定话题进行课堂讨论；用汉语解释语言点；看图说话；演讲；叙述事件；描写等等。

⑤课堂教学中的口头表达训练：

A. 以学生为中心，教师为主导，主要是让学生练习说话。

B. 尽量使课堂教学交际化，要使每一个学生都参加进来。这需要创造编制一些具有互动性的教学任务。

C. 不能见错就纠，要有计划、有重点地纠正学生的错误。建议在学生表达时不要轻易打断学生的表达过程。

（3）读

读是语言的一项基本技能，是吸收新知识、了解新信息的重要途径，因此阅读训练是语言技能训练中非常重要的组成部分。根据不同的阅读方法，阅读可以分为略读、跳读、精读和泛读等形式。

① 阅读训练的目的和任务：

A. 培养阅读理解能力，包括对字、词、段落、篇章的理解能力，篇章理解能力是训练的重点。

B. 培养阅读技巧及快速阅读能力。格瑞莱特提出五种主要的阅读方法：

a. 略读：即快速阅读，目的是了解文章的宗旨或掌握大意。

b. 跳读（掠读）：目的是快速查找所需的信息。

c. 泛读（粗读）：属于个人的消遣性阅读。

d. 精读（细读）：目的是正确理解文章的细节，以获取特定的信息。

e. 评读：评论性的阅读方法，以发现作者的写作目的和对象。

C. 通过培养阅读能力来全面提高学生的语言水平，培养学生发现新的语言现象和文化现象的能力。

② 阅读训练的内容和方法：主要包括识字训练、语言训练、相关文化知识的介绍、阅读技巧训练等等。

A. 初级阶段：识字训练和词语理解训练，主要方法是识字训练以分析为主；词语训练以组词、分词阅读、朗读、组句为主。

B. 中级阶段：继续巩固初级阶段的训练；突出语法训练，增强语句理解；加强文化知识的介绍，培养猜测、推断的能力以及“抓关键、跳障碍”的技巧。

（4）写

写指文字表达，也就是一般所说的写作，是指用书面语言表达个人的思想。写作能力包括了语言表达能力和对事物进行观察、分析的认识能力，是学生语言和认识水平的综合体现，也是四项语言技能中最难的一项。

① 写作训练的目的和任务：

A. 培养学生文字表达能力。

B. 全面提高学生的语言水平。

② 训练的内容和方法：

A. 初级阶段：a. 写字训练；b. 写话训练。

B. 中级阶段：重点是应用文的写作。方法：读后写作，包括书信、假条、便条、请柬、通知、日记、申请书、表格填写等等。

C. 高级阶段：针对较难的应用文写作进行训练。主要方法：读后写作，包括语体变换练习、布告、协议书、备忘录、说明书、产品介绍、读书笔记、工作总结等等。

三、课堂教学的原则、方法和技巧

1. 教学原则

教学原则是指从宏观上指导整个教学过程和全部教学活动的总原则。课堂教学的原则主要如下：

（1）把知识转化为能力，以培养技能和交际能力为最终目的。

（2）以学生为主体。

20 世纪 80 年代以后，课堂教学的指导思想由传统的以教师、教学为中心自觉地向以学生、学习活动为中心或重点转移。注重研究学生的个体因素和个体差异，强调从学生的特点和学习需求出发进行教学设计、选择教学内容、使用教学方法。

（3）文化、结构、功能并重。

这一教学原则要求在注重语言结构本身和语言交际功能之外，还需重视语言交际中的文化因素，注重文化意识的培养。

2. 教学方法

教学方法是在教学理论和教学原则的指导下，在教材编写和课堂教学中处理语言要素和文化知识、训练言语技能和言语交际技能的具体方法。正确合理的课堂教学方法应当：

（1）以学习者的活动为主，进行高密度、快节奏、多形式的语言操练活动和交际活动。

（2）提倡教师与学生之间的交往活动，促使教学向活动化、任务化方向发展。

（3）提倡更多地运用直观教具和现代化教学手段，建立超越课堂时空背景的立体化活动环境。

3. 课堂教学的技巧

课堂教学技巧主要体现为课堂教学行为的一些教学具体方法，包括课堂教学中为使学生理解和掌握所学语言项目或语言技能所使用的手段和学生在教师指导下的操练方式，是教与学两个方面的教学行为。课堂教学技巧具有灵活性、创造性、多样性、服务性、操作性和可控性等特点，主要表现为：

（1）教学单位程序的编排

① 开头（采用方式：A. 复习旧课；B. 检查预习；C. 复习旧课和检查预习相结合）

② 展开（学习新课：朗读课文→句型练习→回到课文）

三步骤：

A. 展示：用体势语演示，让学生感知（一边做动作，一边把句子讲出来；一边说句子，一边用图片展示动作；也可使用实物、录像及多媒体等等）。

B. 讲解：注意语速不要太快，语言要准确，对于重要的地方可多重复。

C. 练习：

a. 模仿或机械性替换。

b. 半机械性、有意义的练习，利于促成记忆。

c. 运用（也可以先练习、后讲解）。

D. 总结：a. 画龙点睛；b. 以提问方式帮助学生总结；c. 引导学生在总结的基础上修正。

E. 布置作业。

（2）交际性练习的组织

① 根据教材提供的内容选择适当的语境和话题。

② 根据话题的特点选择适当的练习方式。

③ 进行话题练习时不要轻易打断学生的话语。

（3）课堂秩序的稳定

教师通过不断努力提高教学质量，以此吸引学生，融洽师生关系，这样有利于稳定课堂秩序。

（4）学生学习的主动性、创造性的发挥

① 教师应具备掌握全场的能力。

② 选择话题时要考虑到大部分学生的实际需求和具体情况。

③ 要注意提问的质量，要经常提一些能促使学生思考的问题。

④ 对程度不同的学生要区别对待。

备考习题

一、填空题

1. 对母语是英语的学生来说，____________ 是他们学习汉语语音时遇到的最大困难。

2. 外国人说汉语难学，主要指的是 ___________________。

3. 根据阅读方法的不同，阅读可以分为略读、跳读、精读和 ____________ 等几种。

4. 20 世纪 80 年代以后，课堂教学的指导思想自觉地向以 ________ 为中心或重点转移。

5. ____________ 是为了了解文章的宗旨或掌握大意的阅读方式。

6. 言语能力主要包括 __________ 这几项基本的能力。

7. ____________ 是语言教学的中心环节。

8. “精讲 __________ ”是目前语法教学中的一个重要原则。

9. 让学生自己发现规则的教学方法是 ____________ 教学。

10. 先举例后总结说明的是 ____________ 法。

二、选择题

1. 第二语言教学的基本形式是（　　）。

A. 语法讲解　　B. 课堂教学　　C. 听说训练　　D. 教材编写

2. “听说读写”既是课堂语言教学的手段也是第二语言教学的（　　）之一。

A. 方法　　B. 目的　　C. 技巧　　D. 内容

3. 对外汉语教学中，最重要的选词标准是（　　）。

A. 口语中常用的　　B. 意义单一的

C. 常用的、构词能力强的　　D. 适用范围广、文化内涵丰富的

4.“快速查找所需的信息”属于（　　）。

A. 略读　　B. 跳读　　C. 精读　　D. 泛读

5. 理解能力指的是（　　）和（　　）的能力。

A. 听　读　　B. 说　读　　C. 写　读　　D. 说　写

6.（　　）属于模仿性练习。

A. 造句　　B. 句型操练　　C. 翻译　　D. 改错

7. 词汇教学的方法很多，用“能飞的机器”解释“飞机”属于（　　）。

A. 语素法　　B. 直接法　　C. 语境法　　D. 搭配法

8. 在口语训练中，对待学生错误的态度是（　　）。

A. 不要纠正　　B. 立刻纠正　　C. 记录在案　　D. 有计划有重点的纠正

9. 一般认为，（　　）是四项技能中最难的一项。

A. 听　　B. 说　　C. 读　　D. 写

10. 下面关于汉字教学的态度较为正确的是（　　）。

A. 只学繁体字，不学简体字　　B. 汉字最好不学，以学习口语为主

C. 识繁写简　　D. 只学习独体字，不学习合体字

三、论述

1. 为什么说课堂教学是中心环节？
2. 词汇教学的任务和选择所教词汇的原则是什么？
3. 简述语法在第二语言教学中的作用和地位。
4. 在课堂上如何进行复合趋向补语的教学？请举例说明。
5. 试述语法教学的主要方法。
6. 课堂教学中怎样组织交际性练习？
7. 衡量课堂教学是否达到教学目标的标准是什么？
8. 简述汉字教学的原则和方法。
9. 什么是教学技巧？

第六章
对外汉语教材的编写、选择与使用

备考提示

了解教材分类、编写的原则、教材编写依据以及对教材的分析和评估。

重点知识

一、教材的分类

一般来说，人们根据不同的需要，从不同的角度对教材进行分类。就第二语言教学的实际情况来看，我们可以将第二语言教材分为以下四类：

语言技能类教材：包括综合技能训练和专项技能训练，前者又可分为精读类教材和读写、听说类教材，后者包括口语、听力、阅读、写作、翻译类教材等等。

语言知识类教材：如汉语语音、语汇、语法、汉字，以及汉语概论、古代汉语、汉语书面语等方面的教材。

文化知识类教材：如中国历史、哲学、文学、艺术，以及国情介绍之类的教材。

特殊用途语言教材：如商贸汉语、医用汉语、旅游汉语、外交汉语、工程汉语、科技汉语教材等等。

二、教材编写的原则

选用教材的原则是以评估教材的四原则——实用性原则、知识性原则、趣味性原则和科学性原则为基础。

1. 实用性原则

实用性原则主要指“易教易学”，表现在以下几个方面：

（1）教学内容的实用性：指教材中教学内容的选择和确定要从学习者的需要出发，教学内容必须是学习者在生活中常用的，在交际中所必需的。

（2）语言材料的真实性：语言教材要尽可能选择现实生活中真实的语料，尽量避免无使用价值或仅仅为了解释语言点的“教科书语言”或“教室语言”。

（3）教学方法的实用性：指教材在提供必需理论和知识的同时，更要提供大量的练习。

2. 知识性原则

知识性原则指教学内容要包含一定量的新知识，使学生在学习语言的同时能增长知识。

3. 趣味性原则

教材的趣味性主要体现在教材内容的生动有趣和形式的活泼多样。

（1）题材多样化。

（2）体裁、语言风格和练习方式的多样化。

（3）版式设计、装帧、插图等形式上活泼醒目。

4. 科学性原则

（1）语言的规范：要教规范、通用的语言。

（2）内容组织符合教学规律：内容的编排顺序、题材内容、生词和语法点的分布、词汇和句型的重现率、练习的内容和方式需要符合教学的要求。

（3）反映学科理论研究的新水平，更换旧内容，慎重选择新成果。

5. 其他原则

（1）交际性原则：要选择有交际价值的教学内容；语言材料的组织要体现生活的真实性。

（2）针对性原则：要适合使用对象的特点。

① 最基本的特点是要适合不同母语学习者的需求。

② 还要针对学习者的年龄、国别、文化程度、学习目的以及水平和时限等特点。

（3）系统性原则：要考虑到横向和纵向的关系，要考虑到该教材在整个教材体系中所处的位置和作用。

三、教材编写的依据

教材编写的依据主要包括：

1. 语言学、心理学、教育学是主要的、基础的理论依据；

2. 语言教学理论和学习理论是直接理论依据；

3. 目的语语言学和目的语文化是教材内容的源泉；

4. 教学计划与教学大纲是教材编写的直接依据。

四、教材编写的实施

教材编写的实施需要有以下几方面的准备：

1. 教材编写的思想准备

编写出优秀的对外汉语教材绝非易事，在编写前需要做好充足的思想准备。对外汉语教材的编写涉及第二语言教学理论和实践的方方面面。一部优秀的对外汉语教材不仅可以反映出相关理论的新成果和教材编写的新经验，而且往往带有整体或者局部的创新精神。因此需要树立教材编写责任重大的观念。

2. 教材编写的理论准备

教材的编写需要诸多方面的理论基础，包括语言学、教育学以及心理学，同时也需以理论创新作为教材创新的支点。就目前来看，关注学习者的需求，尽可能兼容各种教学思想的长处，以结构、功能、情境、文化等多元大纲为指导，已经成为第二语言教材编写的重要趋势。

3. 教材编写的资料准备

这里所说的资料准备，不仅包括收集相关的各种资料，而且包括对资料进行研究、分析和筛选。具体来说包括全面收集与教材编写相关的文章；尽可能地收集有代表性的第二语言教材，特别是同类教材；收集和分析教学大纲；利用多种途径广泛收集跟拟编教材有关的目的语素材，为课文编写、改写做好准备。

4. 教材编写方案的制定

制定教材编写方案是教材编写的关键环节。一般来说，教材编写方案应该涉及以下几方面工作：对教学对象的需求进行调研分析；确定教材编写的目标；研究和论证教材的创新和特色；确定教材编写的原则和方法；规划教材的体例和构成；制定实现目标和保证创新的具体措施；最后需要编制一个具体的编写方案以及合适的工作程序和时间表。

五、教材分析和评估

教材的分析和评估主要是根据特定的标准或原则对教材设计和实施的成败得失、优劣高下进行分析、评议和估量。

1. 教材评估的基本原则

评估信度：评估是否公正而客观地反映了被评估教材的实际表现，也就是评估的结论或分值对被评估教材而言的可靠程度。

评估效度：评估的内容是否就是教材评估所应考察的内容，也就是说评估的各项指标在多大程度上体现了评估的目的所在。

追求高信度和高效度，是教材评估工作的目标，也是教材评估的两个基本要求。

2. 具体分析

（1）教材是否符合学生的需要。

（2）教材是否符合教师的需要。

（3）教材是否符合课程标准的要求。

3. 评估参考：赵金铭评估表（略）

备考习题

一、填空题

1. 编写与评估对外汉语教材需遵循的基本原则是________、________、________、________等。

2. 第二语言测试可分为____________、____________、____________和____________四大类。

3. 第二语言教材可以分为不同的类型，《旅游口语》、《商务汉语》是按__________分出来的。

4. _________是教师教学和学生学习的依据，它与教学计划、教学大纲共同构成学校教学内容的主体。

5. 教材编写的基本原则是实用性、知识性、针对性、__________、__________、__________。
6. 评估__________是指评估是否公正而客观地反映了被评估教材的实际表现，也就是评估的结论或分值对被评估教材而言的可靠程度。
7. __________指教材中教学内容的选择和确定要从学习者的需要出发。
8. 语言技能类教材包括综合技能训练和__________技能训练教材。
9. 教学计划与__________是教材编写的直接依据。
10. "版式设计、装帧、插图等形式上活泼醒目"体现的是教材编撰的__________原则。

二、选择题

1. 教材可从不同角度进行分类，《报刊阅读》、《新闻听力》是按（　　）划分出来的。
   A. 教学方法　B. 教学对象　C. 教学手段　D. 课程类型
2. 以结构、功能、（　　）、文化等多元大纲为指导，已经成为第二语言教材编写的重要趋势。
   A. 情景　B. 语义　C. 交际　D. 类型
3. 教材编写方案应该涉及以下几方面工作（　　）
   A. 对教学对象的需求进行调研分析；
   B. 确定教材编写的目标；
   C. 研究和论证教材的创新和特色；
   D. 确定教材编写的原则和方法；
   E. 规划教材的体例和构成；
   F. 最后需要编制一个具体的编写方案以及合适的工作程序和时间表。
4. 既要考虑到横向和纵向的关系，又要考虑到该教材在整个教材体系中所处的位置和作用。这属于教材编撰中的（　　）。
   A. 系统性原则　B. 实用性原则
   C. 趣味性原则　D. 交际性原则
5. 评估的内容是否就是教材评估所应考察的内容，也就是说评估的各项指标在多大程度上体现了评估的目的所在，这是指评估的（　　）。
   A. 信度　B. 效度　C. 真实度　D. 准确度
6. 教学编写的理论依据主要包括（　　）。
   A. 语言学　B. 心理学　C. 教育学　D. 逻辑学
7. 《古代汉语》属于（　　）知识类教材。
   A. 语法　B. 文化　C. 语言技能　D. 语言
8. 下面不属于语言技能类教材的是（　　）。
   A. 阅读教材　B. 写作教材
   C. 现代汉语　D. 听力教材

9. 目的语语言学和目的语（　　）是教材内容的源泉。

A. 政治　　B. 民俗　　C. 历史　　D. 文化

10.“教室语言”与“教科书语言”违背了教材编撰的（　　）原则。

A. 针对性　　B. 实用性　　C. 系统性　　D. 科学性

三、论述

你认为“这是书，那是报”这样的句子有没有必要编进对外汉语教材，为什么？

第七章
汉语作为第二语言的测试与评估

备考提示

1. 了解测试的作用、目的以及种类。
2. 了解命题的要求和中国汉语水平考试（HSK）。

重点知识

语言测试是语言教学的一个非常重要的环节，有教学就会有测试。语言测试的历史可以追溯到19世纪末20世纪初，目前已经发展成为一个综合性很强的学科。

一、测试的作用与目的

语言测试的作用和目的是：评估教学的实际效果，为改进教学中的问题提供反馈信息；评价学习者的学业成就和语言水平，为选拔人才提供依据；为语言研究包括语言教学研究提供信息，同时也是语言教学研究和语言研究的重要手段；有利于推广母语教学，扩大母语的影响。

二、测试的种类

语言测试从用途或者功能的角度来划分，主要可以划分为：水平测试、成绩测试、诊断测试、潜能测试、分级测试五大类。

1. 水平测试（Proficiency Test）

水平测试所关心的是学习者是否可以听懂目的语者讲话，是否可以看懂用目的语所写的文章，是否可以用目的语与别人自如地进行口头或书面的交流。如HSK、TOEFL、WSK等等。

（1）目的：测量测试对象的第二语言水平，即其是否能够使用目的语完成特定的任务或实现特定的目的。

（2）特点：有专门的大纲、统一的试题和统一的评分标准，要求较高的预测效度。

（3）原则：能够有效地测量测试对象的实际语言水平。

2. 成绩测试（课程测试）（Achievement Test）

成绩测试也叫做学业成就测试，是教育测验中运用最广的一种测试形式。

（1）目的：检查测试对象在学习的一定阶段掌握所学课程的情况，所以有些人又把成绩测试称作回顾性测试。它的目的就是了解学习者在过去的学习时间里究竟掌握了什么内容，在学业上取得了什么样的成就。

（2）特点：跟教学过程和教学对象紧密相关，虽可测定受试者的学习成绩，但不一定能反映受试者的语言水平。例如：期中考试、期末考试、结业考试、毕业考试等等。

（3）成绩测试和水平测试的区别：

成绩测试是一门或一种课型的一定学习阶段的测试，用以检查测试对象在学习的一定阶段掌握所学课程的情况，包括期中考试、期末考试、结业考试、毕业考试等等。水平测试的目的是测量测试对象的第二语言水平。一般而言有专门的考试大纲、统一的试题和统一的评分标准，以尽可能客观的标准来测量考生的目的语水平。

3. 诊断测试（Diagnostic Test）

实际上，诊断测试与成绩测试一样，也属于一种回顾性测试，是教学单位特别是任课教师常用的一种测验形式。

（1）目的：检查受试者对学习内容的掌握情况以及教学效果是否达到教学大纲所要求的水平，也就是了解学习者对教学内容哪些已经掌握了，哪些尚未掌握，以便调整教学。通过诊断测验，教师可以及时发现教学中出现的各种问题，为教师提供改进教学的反馈信息。

（2）特点：

① 不受教学进度的限制，可以随时进行；

② 测试内容可以相对集中，突出针对性；

③ 诊断测试是非正式的测试，完全由任课教师根据实际情况来进行命题和施测，在形式上十分灵活；

④ 对信度和效度没有太高的要求。

4. 潜能测试（Aptitude Test）

潜能测试也叫做能力倾向测试、性向测试、禀赋测试等。潜能测试是一种完全基于理论的测验，到目前为止，相关理论尚未成熟，大多停留在假设的阶段。

（1）目的：了解受试者学习第二语言的潜在能力即所谓能力倾向如何，测验编制者希望根据测验的结果来预测学习者在未来学习目的语是否会成功。

（2）测试内容：模仿能力、记忆能力和理解能力。

5. 分级测试（Placement Test）

分级测试又叫安置性测试或者分班测试。它的作用是评估学习者现有的语言水平高低，从而确定其适合于学习什么样的课程或适合于在何种程度的班级上课。分级测试的目的在于妥善地将学习者按程度分班或编组。

三、命题

根据不同的标准，命题可以分为以下几类：

1. 标准化试题和非标准化试题（从命题过程和试题的可靠性程度的角度划分）

（1）标准化试题：标准化试题是标准化测试所采用的试题形式。一般以现代教育测量学和心理测量学理论为依据，遵照科学的程序，对考试的全程，从设计、命题到评分、分析等实施标准化运作，严格控制误差，能高效、准确地测出受试者的真实语言水平的测试被称作标准化测试。该测试所采用的命题形式即标准化试题。

（2）非标准化试题：非标准化试题是非标准化测试所采用的试题形式。由任课教师根据具体教学需要而自行设计、命题、实施以及进行评分的测试一般是非标准化测试。它是针对标准化测试易于忽略学习者的个体特点以及实际效度等缺陷产生的一种测试方式。20世纪 80 年代以来国外兴起的表现评价或真实性评价等非标准化的评价手段已经部分取代了传统的标准化测试手段。

2. 主观性试题和客观性试题（按评卷的客观化程度划分）

（1）主观性试题：指测试结果的评判在很大程度上取决于阅卷者的主观判断，如：作文、口试、翻译等等。

（2）客观性试题：有统一的阅卷标准，答案固定，不因阅卷人的主观意愿而改变，如：选择、判断正误等等。

3. 分立式试题和综合性试题（按试题所包含的测试内容的特点划分）

（1）分立式试题：对受试者所掌握的语言知识和语言技能进行分项测试，以考察受试者各个单项能力的试题。如：填空、改错、多选等。分立式试题的优点是针对性强，具备一定的客观性。缺点是各个项目测试结果的总和不一定能反映受试者的整体语言水平和语言能力。

（2）综合性试题：对受试者的整体语言能力（语言知识和语言技能）进行综合性测试，全面考察受试者语言能力的试题。如：听力理解、完形填空、写作等。

四、中国汉语水平考试（HSK）

1. 性质：中国汉语水平考试（HSK）是为测试汉语作为第二语言的学习者的汉语水平而设立的国家级标准化考试。

HSK 是“汉语水平考试”的简称，是专为测量外国人和非汉族人的汉语水平而设计的一种标准化考试，重点考查汉语非第一语言的考生在生活、学习和工作中运用汉语进行交际的能力。

2. 作用：主要体现在《成绩报告》的效力上。HSK 成绩可以满足多元需求：

（1）为院校招生、分班授课、课程免修、学分授予提供参考依据；

（2）为用人机构录用、培训、晋升工作人员提供参考依据；

（3）为汉语学习者了解、提高自己的汉语应用能力提供参考依据；

（4）为相关汉语教学单位、培训机构评价教学或培训成效提供参考依据。

3. 分级

HSK 分笔试和口试两部分，笔试和口试是相互独立的。笔试包括 HSK（一级）、HSK（二级）、HSK（三级）、HSK（四级）、HSK（五级）和 HSK（六级）；口试包括 HSK（初级）、HSK（中级）和 HSK（高级），口试采用录音形式。

笔试
HSK（六级）
HSK（五级）
HSK（四级）
HSK（三级）
HSK（二级）
HSK（一级）

口试
HSK（高级）
HSK（中级）
HSK（初级）

4. 考试等级及词汇要求

HSK各等级与《国际汉语能力标准》、《欧洲语言共同参考框架（CEF）》的对应关系如下表所示：

新HSK	词汇量	国际汉语能力标准	欧洲语言框架（CEF）
HSK（六级）	5000及以上	五级	C2
HSK（五级）	2500	五级	C1
HSK（四级）	1200	四级	B2
HSK（三级）	600	三级	B1
HSK（二级）	300	二级	A2
HSK（一级）	150	一级	A1

通过HSK（一级）的考生可以理解并使用一些非常简单的汉语词语和句子，满足具体的交际需求，具备进一步学习汉语的能力。

通过HSK（二级）的考生可以用汉语就熟悉的日常话题进行简单而直接的交流，达到初级汉语优等水平。

通过HSK（三级）的考生可以用汉语完成生活、学习、工作等方面的基本交际任务，在中国旅游时，可应对遇到的大部分交际任务。

通过HSK（四级）的考生可以用汉语就较广泛领域的话题进行谈论，比较流利地与汉语为母语者进行交流。

通过HSK（五级）的考生可以阅读汉语报刊杂志，欣赏汉语影视节目，用汉语进行较为完整的演讲。

通过 HSK（六级）的考生可以轻松地理解听到或读到的汉语信息，以口头或书面的形式用汉语流利地表达自己的见解。

备考习题

一、填空题

1. 按评分的客观化程度区分，作文属于 ________ 试题。
2. HSK 考试的全称是 ________。
3. HSK 是为 ________ 的学习者制订的。
4. 主观性试题和客观性试题是从 ________ 角度划分出来的。分立式试题和综合性试题是从 ________ 划分的。多项选择、完形填空和作文分别属于 ________、________ 和 ________。
5. HSK 考试分为 ________ 和 ________ 两部分，笔试共分 ________ 级。
6. ________ 测试的目的在于妥善地将学习者按程度分班或编组。
7. 检查受试者对学习内容的掌握情况以及教学效果是否达到教学大纲所预期的要求的测试类型是 ________ 测试。
8. 分级测试又叫安置性测试或者 ________。
9. 测试的 ________ 即有效性，指测试的内容应符合测试的意图。
10. ________ 测试是了解受试者学习第二语言的潜在能力即所谓能力倾向如何的一种测试。

二、选择题

1. 一份试题对学生重复测试，是验证试题（　　）的方法之一。
   A. 效度　B. 信度　C. 区分度　D. 难易清晰度
2. 按测试的内容特点划分，“多项选择”属于（　　）。
   A. 分立式测试　B. 标准化测试　C. 综合性测试　D. 水平测试
3. 语言教学过程中进行的期中考试和期末考试属于（　　）。
   A. 水平测试　B. 诊断测试　C. 成绩测试　D. 潜能测试
4. 保证（　　）的关键是测试项目和测试内容要与测试目的相一致。
   A. 难异度　B. 效度　C. 区分度　D. 信度
5. 下列不属于分立式试题的是（　　）。
   A. 填空　B. 改错　C. 多选　D. 写作
6. 一般来说，每个学期进行的期末考试属于（　　）。
   A. 分级测试　B. 诊断测试　C. 水平测试　D. 成绩测试
7. TOEFL 属于一种（　　）。
   A. 分级测试　B. 诊断测试　C. 水平测试　D. 成绩测试

8. 不属于客观性试题的是（　　）。

A. 写作　　B. 完形填空　　C. 判断　　D. 选择

三、名词解释

1. 水平测试
2. 分立式试题和综合性试题
3. HSK
4. 教学评估
5. 测试的效度
6. 测试的反馈作用

四、论述

简述语言测试的作用和目的。

第八章
汉语作为第二语言教学中的文化因素

备考提示

1. 掌握跨文化交际的定义。
2. 了解文化差异与交际障碍。
3. 正确认识文化的冲突，掌握正确的适应方法，知道正确对待不同文化的态度。
4. 了解语言中的文化因素、基本国情和文化背景知识及专门文化知识。
5. 掌握文化教学的基本原则与方法。

重点知识

一、跨文化交际

1. 定义

跨文化交际是指在不同文化背景下的人们之间的交际行为，其主要特点有：

（1）文化差异与交际障碍。

（2）交际原则与价值原则。

（3）母语文化的思维定势和对异文化的成见：直接影响跨文化交际的因素。

（4）交际过程中的相互接近和求同趋向。

（5）交际的结果：文化的相互影响。

2. 语言与文化的相关概念

（1）文化是人类在社会历史发展过程中所创造的物质财富和精神财富的总和。

（2）文化的分类：物质文化、制度文化、行为文化、心态文化。

（3）语言交际文化：主要体现在语言的词汇系统、语法系统和语用系统中的文化因素。这类因素对语言和语言交际有规约作用，本族人不易察觉。

（4）文化的属性：民族性、社会性、系统性、阶段性。

（5）语言和文化的关系

①语言是人类文化的一部分，语言和文化是部分与整体的关系。

②语言是文化的主要载体——语言的特殊性。

③语言是文化发展的基础，社会成员是靠语言交流共同发展文化的。

④语言和文化是相互依存的。

因此，要掌握和运用一种第二语言，就必须同时学习这种语言所负载的该民族的文化。

在实际的对外汉语教学中，我们应以语言教学为主，同时紧密结合相关的文化教学，但不能以文化教学取代语言教学。这是处理语言教学与文化教学的一个原则。

3. 语言系统中的交际文化因素

（1）词汇系统中的语言交际文化因素。表现在：对应词的有无；对应词的词义范围的大小；词义的褒贬；引申义和比喻义的多少等等。

（2）语法系统中的语言交际文化因素。表现在：词形变化的有无；句子的组织方式是否完全相同；方位、数量、顺序等的表达方式的异同等等。

（3）语用系统中的语言交际文化因素。表现在：称呼、问候和道别；称赞和批评；自谦和自卑；邀请和应邀；隐私和禁忌等等。

4. 文化的冲突与适应

（1）蜜月阶段

蜜月阶段指人们刚到一个新的环境，由于有新鲜感，心理上兴奋，情绪上亢奋和高涨。

（2）挫折阶段

我们又称之为“文化震荡症”或“文化休克”，指在非本民族文化环境中生活和学习的人，由于文化的冲突和不适应而产生的深度焦虑的精神症状，表现为感到孤独、气恼、悲伤、浑身不适乃至生病。这一症状会随着对第二文化的了解与适应而逐渐消失。

（3）调整阶段

调整阶段指在经历了一段时间的沮丧和迷惑之后，“外乡人”逐渐适应新的生活，找到了对付新文化环境的办法，解开了一些疑团，熟悉了本地人的语言，以及食物、味道、声音等非言语语言，了解了当地的风俗习惯，理解到异文化中不仅有缺点，也有优点。他们于是与当地人的接触多了起来，与一些当地人建立了友谊。他们心理上的混乱、沮丧、孤独感、失落感渐渐减少，慢慢地适应了异文化的环境。

（4）适应阶段

在这一阶段，“外乡人”的沮丧、烦恼和焦虑消失了。他们基本上适应了新的文化环境，适应了当地的风俗习惯，能与当地人和平相处。

5. 对待不同文化的态度

（1）尊重不同的文化。

（2）理解与适应目的语文化。

（3）对待文化冲突须求同存异。

（4）外为我用，发展本国文化。

（5）从跨文化交际的需要出发，选择文化依附。文化依附指人们言行所代表和体现的是哪一种文化。

二、文化教学的层次

对外汉语教学中的文化教学，大概可以分成三个层次：

语言中的文化因素：语构文化、语义文化、语用文化。

基本国情和文化背景知识：最基本的“知识文化”，学习者感兴趣、希望了解。

专门文化知识：高年级的文化课，不属于语言教学，是提高汉语交际能力的文化底蕴。

三、文化教学的原则与方法

1. 基本原则

（1）要为语言教学服务，与语言教学的阶段相适应。

（2）要有针对性。

（3）要有代表性。

（4）要有发展变化的观点。

（5）要把文化知识转化为交际能力。

2. 教学方法

（1）通过注释直接阐述文化知识。

（2）将文化内容融会到课文中去。

（3）通过语言实践培养交际能力。

备考习题

一、填空题

1. 对外汉语教师对不同民族的文化应采取 ________ 的态度。
2. 在目的语国家学习时，文化接受过程一般分为四个阶段：观光期、________、逐渐适应期、接受或完全复原期。
3. 文化是人类在社会历史发展过程中所创造的物质财富和 ________ 财富的总和。
4. 文化具有 ________、社会性、系统性和阶段性。
5. 跨文化交际指在不同文化背景下的人们之间的 ________。
6. 语言既是人类文化的一部分，同时也是文化的 ________。
7. 小王来美国一个月了，他觉得美国的生活要比中国好很多，一点儿也不想念自己的家乡。他可能正处在文化 ________ 阶段。
8. ________ 指人们言行所代表和体现的是哪一种文化。
9. 文化可以分为物质文化、制度文化、行为文化、________。

二、选择题

1. 以下关于文化教学的原则与方法表述正确的是（　　）。

   A. 要为语言教学服务，与语言教学的阶段相适应

   B. 要有针对性

   C. 要有代表性

   D. 要有发展变化的观点

2. 对待不同文化应当采取的正确态度包括（　　）。

A. 尊重不同的文化

B. 理解与适应目的语文化

C. 对待文化冲突须求同存异

D. 以本族文化为主

3. 关于语言与文化的关系表述错误的一项是（　　）。

A. 语言是文化的载体

B. 语言是文化不可分割的一部分

C. 文化是语言的重要载体之一

D. 文化与语言不可分割

4. 影响跨文化交际的因素有（　　）。

A. 母语文化的定式思维

B. 对异文化的成见

C. 语言能力

D. 对异文化的熟悉程度

5. 有关文化教学的正确方法有（　　）。

A. 通过注释直接阐述文化知识

B. 将文化内容融会到课文中去

C. 通过语言实践培养交际能

D. 以全方位灌输为主

三、名词解释

1. 文化休克

2. 跨文化交际

四、论述

对外汉语教学中的文化因素的教学与语言教学的关系如何？文化教学主要体现在哪些方面？

第九章 现代教育技术在对外汉语教学中的应用

备考提示

1. 掌握计算机及常用软件的使用方法。
2. 了解现代声像技术的应用。
3. 了解汉语知识与言语技能的计算机辅助教学和网络远程对外汉语教学。

重点知识

美国教育传播与技术学会（Association for Educational Communications and Technology，AECT）1994年将教育技术（Instructional Technology）界定为：教育技术是对学习过程和教学资源进行设计、开发、应用、管理和评价的理论与实践。

一、计算机常用软件的使用

1. 常用软件

（1）文字处理工具 Microsoft Word 是目前普遍采用的软件，它是强大的文字处理工具，有很强的编辑、绘图、制表功能。

（2）二维表格处理软件 Excel，数据统计 SPSS（主要用于心理学、统计学）。

（3）复杂数据可以用 C 语言或 FoxPro 来处理。

（4）文稿制作 Microsoft Power Point。

（5）其他软件，如：图象处理 Photoshop、二维动画 Flash、网页制作 Dreamweaver、声音处理软件（需要用声音采集卡进行声音模式转换）CoolEdit、视频处理软件（需要用视频采集卡进行视频转换）Premiere。

2. 语料库建设

现代汉语语料库、现代汉语句型语料库、汉语中介语语料库、各种汉语教学多媒体素材库或资源库、不同层级的汉语题库等是对外汉语教学和研究中基本的、重要的语料资源。

（1）现代汉语语料库

建设现代汉语语料库是一项非常有意义的基础性工程。它可以为汉语教学工作者提供有力的帮助。我们可以用它来辅助制订教学大纲、编写教材、查找例句、编写教案和试题等等。

（2）现代汉语句型语料库

现代汉语句型统计与研究是一项通过对文本语料进行句型分类统计和句法结构分析，

从而对现代汉语进行句型调查和研究的基础工程。调查现代汉语句型的使用频率，研制出一个体现汉语特点、突出汉语语法教学重点的常用句型表，建立一个经过专家分析研究的句型语料库，是非常有意义的。

（3）汉语中介语语料库

建立汉语中介语语料库的基本目的，是为对外汉语教学的学科建设做一项基础性的准备工作，同时也为有关的汉语本体研究、汉外语言对比和语言共性研究以及其他相关的研究工作提供来自汉语中介语方面的语料和数据。研制“汉语中介语语料库系统”，可以为对外汉语教学总体设计、教材编写、课堂教学、成绩测试和水平考试的研究工作提供依据。在教学实践方面，它可以帮助老师了解学生的学习过程和影响学习进步的因素，从而使教师有效地优化影响学习的条件，自觉地按照学习规律组织教学，提高教学的效率。

（4）面向语言学研究的汉语语料检索系统

语言学研究需要以语言事实作为依据。过去，研究者主要通过用卡片大量摘录语言材料，这种方法因受到数据规模的限制而效率较低。近十几年出现了大量的电子文档，可以组成大规模的电子语料库，并出现了相当成熟的文本信息检索技术。这一技术可用于电子文档中的语言事实的检索，比起人工收集语言事实，这种方法的好处是效率高，可以在极短的时间内在大规模电子语料库中找到相关文本的文章、段落、句子，结果可以编辑、复制、打印，查询表达式可以是关键词语同逻辑符号组合成的复杂的关系式。

（5）汉语教学多媒体素材库和资源库

对外汉语教学多媒体素材库，存储的是汉语教学所用的形形色色的基本“元件”，教师可以根据自己的设想或者根据他人所提供的“图纸”，搭建成自己所需要的教材或者课件，形成配合课堂教学使用的或者在网络上供学生使用的教学资源。各种各样的素材库便构成了理想的教学资源库。建立对外汉语教学多媒体素材库是工业化时代所产生的模块化、标准化思维方式的自然推论，也是数据库技术应用的必然拓展。

二、现代声像技术（多媒体技术）的应用

1. 多媒体（CAI）课件的特点

（1）体现集成性（声、图、文、像并用）。

（2）体现交互性（区别其他教学软件的特点之一，结构是非线性的）。

（3）个别性（个性化）学生可以通过多媒体课件选择适合自己特点、能力的途径。

（4）体现教育性（体现重点、难点）、科学性（不可有错误）、艺术性（颜色协调、构图合理）。

（5）技术性（声音、图像要清楚）。

2. 多媒体素材的采集

（1）文字信息

包括题目说明、题目、答案、文字解释（汉语、母语）等。可以通过文字处理软件录入、通过扫描仪输入（OCR 输入）、语音输入软件输入到计算机中，并按照一定的格式存储在计算机中。

（2）声音信息

可以将已有的磁带录音（模拟信号）转入到计算机中（数字信号）。

（3）图片信息

图片的获取可以从图形素材库中查找，或将已有的照片、图片通过扫描仪扫描到计算机中去；通过数码照相机拍摄后转入计算机中；通过电脑绘图软件或者对已有的图片经加工修饰得到。

（4）动画信息

动画的获取可以是从动画素材库中查找，或通过电脑动画软件制作得到。第三种方法是在已有的数字视频数据中选取。

（5）视频的获取

视频的获取主要有三种方式，一种方式是通过数码摄像机摄录后转入到计算机中。另一种方式是将已有的录像带中的内容转入到计算机中或截取电视、新闻中的一部分，这种方式需要一块视频捕捉卡。第三种方法是在已有的数字视频数据中选取。

应当注意的是，无论哪种信息的采集都应注意版权问题。

三、汉语知识与言语技能的计算机辅助教学

“计算机辅助教学”从广义上讲，包括计算机辅助制定教学大纲、编写教材、教学与学习、学习效果分析、测试与管理等。就语言教学来讲，包括语料分析、语言训练、语言测试、文字处理和教学管理等。狭义的“计算机辅助教学”指的是“教学与学习”，即只针对语言训练。

1. CAI、CCAI 和 ICCAI

CAI 计算机辅助教学（Computer Assisted lnstruction）的定义是：利用计算机辅助教师教学，以对话方式与学生讨论教学内容，安排教学进程，进行教学训练的方式与技术。

用来存储、传递、交换、解释、处理教学信息，并对它们进行选择、评价和控制的教学程序（软件）叫课件（Courseware）。

CCAI 汉语计算机辅助教学（Chinese-Computer-Assisted lnstruction）。

ICCAI 智能汉语辅助教学（Intelligence Chinese-Computer-Assisted Instruction）。

2. 汉语计算机辅助教学类型

（1）应用于课堂教学，弥补传统教学手段的不足。

（2）应用于课下辅助教学，目的在于针对课堂上教师所讲的内容，让学生进行更多的、进一步的、有针对性的听说读写训练。

（3）应用于自学，由于载体形式的多样性如磁盘、光盘或者网络，学习者可以不受时空条件的限制进行自学，甚至可以得到个别化教学指导。

3. 计算机辅助教学区别于其他教学手段的特点

计算机辅助教学具有交互性，可以由学习者自由地选择学习的内容和学习的进度，这正是计算机辅助教学区别于以往使用电教设备进行教学的重要标志。

4. CCAI 的特点

（1）优越性

① 直观性。如利用 CCAl 的汉字教学，可以在屏幕上看到汉字笔顺的动态演示。

② 个别化特性。CCAI 可以针对不同母语背景的学生提供指导，或提供辅助学习材料。

③ 保护性。为学生提供各自独有的学习环境，从而消除学生的心理障碍，特别是对他们的口语练习有帮助。

④ 自由性。学生可以不受时间、空间的限制，可以根据自身的需要边学边用，随学随用。

⑤公平性。CCAI 可以不厌其烦对每一个学生进行这种训练并能做出客观的评价。

（2）局限性

① 软件设计的局限性。实际上，大多数 CCAI 并不具有相同适应性，即它是按预先确定的有限方式来进行各种教学活动。学生学习的效果在很大程度上取决于技术人员对学习者和学习情况的预测能力，取决于设计方案和设计技术是否完全表达了这种预测。

② 学生对电子教学的不适应性。不适应性是指有些人患有技术恐惧症，他们面对计算机系统提供的各种操作感到无所适从，甚至把主要精力都放在了操作上，影响了正常的学习。

③ 缺少竞争和约束机制。面对计算机接受语言训练的学生，常常缺少面授教学中的竞争和约束机制，他们一旦遇到困难或挫折便很容易停课或丧失信心。

④ 缺乏人格化品质。计算机虽然与学生有交互活动，但它缺乏教师特有的品质。长期面对计算机进行语言学习，缺少人际交流，学生有时会感到单调乏味。

⑤周期长、制作成本高。汉语教学的特性不仅要求较多地使用多媒体形式，还要求具有较高的技术指标。与 CCAI 教学有关的汉语信息处理技术的使用成本，也会增加 CCAI 的制作成本。

5. CCAI 课件类型

按照教学模式划分，大致可以分为以下五种：

（1）操练与练习型

包括编排题目、比较答案和登记分数，通常作为正常教学的补充。其最典型的应用是针对某一语法点或词汇而设计的机械性操练，像“这是一（A 把、B 张、C 个）桌子”的填空练习。最困难的应用是学生可以自由发挥的造句、写作或翻译练习，像“用‘从……到……’造句”。

（2）个别指导型

包括教授规则、评估学生的理解和提供应用的环境等。例如，母语为英语的学生，有时把“我在北京大学学习”说成“我学习在北京大学”。这时应告诉他们，在汉语里，介宾结构放在动词前做状语与放在动同后做状语的意义是不同的。

（3）对话与咨询型

允许学生与计算机之间进行限定性的“对话”。例如，使用《多媒体汉字字典》可以从中查看每个汉字的笔顺书写过程，可以听到汉字的读音，可以按拼音、按部首检索到某个汉字，也可以按部件检索到某个汉字。

（4）游戏型

创造一个带竞争性的学习环境，将游戏的内容和过程与教学目标相联系，也可以是在竞争的环境中进行。例如，在计算机上演示汉字的笔顺让学生判断正误时，如果正确，则学生可以听到该字的读音、看其古文字形、听中国民乐等。

（5）模拟型

用计算机模仿真实环境并加以控制。例如：提供在机场接人的场景，学生与计算机中的人物分别扮演一个角色，练习会话。

在具体的CCAI设计过程中，也可以根据教学内容的需要和教学目的的要求，有选择地、综合地使用以上各种类型。

6. CCAI设计原则

（1）内容正确、规范

CCAI的内容可能包含多种媒体：文字、声音、图片、动画、录像等。无论是哪种媒体都有其行业标准。例如，文字内容的标准是：表述通顺流畅，所使用的语言及格式应参照国家出版业相关的标准和规范（拼音标注要符合《汉语拼音方案》）；汉字书写应依据《现代汉语常用字笔顺规范》；汉语发音要符合普通话标准；除涉及报刊、文化艺术方面的内容和标题外，一般不使用竖排。

（2）媒体素材的有效性

CCAI中往往包含了一些声音、图片、动画、录像等媒体素材，在语言教学中会起到积极的作用。但语言教学中的媒体素材并不是越多越好，也并不是越复杂越好；媒体素材的有效性包括：素材运用要恰当，不可滥用，以免喧宾夺主；素材的质量要符合教学要求，字体、音质、画质、录像要有一定的清晰度；文字解释要采取有效措施，尽可能做到易懂（如对比的手法、表格的形式），对初学者可以考虑使用母语进行解释；图标要直观，含义要明确，最好能提供在线帮助；解说速度适中等等。

（3）交互方式恰当

交互性代表了传统媒体和现代媒体间的根本区别，是计算机辅助教学的重要特征。它的作用应是使学习者能够融入所提供的学习环境。交互的关键是引导学习者主动参与各种学习活动。交互方式要简洁、明确，不要给使用者在操作上带来困难。

7. CCAI发展方向

（1）多媒体型系统：利用计算机进行视、听、触等多种方式的形象化教学。

（2）分布式大容量系统：采用计算机网络、卫星通信等现代通信技术进行局部或区域性联网。

（3）智能型系统：汉语教学专家系统的设计和外国人汉语学习模型的建立是其关键因素。

（4）语音合成。

8. 多媒体课堂教学

多媒体课堂教学指将多媒体技术应用于课堂，在原来的已经构成的教学系统中增加多媒体课件元素，由此形成的新的教学模式。一般来说，这种课堂教学是在多媒体教室中进行的。该教室包括：大屏幕数据投影机和含有计算机的综合控制系统。课件在计算机上运行，同时显示在大屏幕上。教师通过无线遥控鼠标或电子教鞭或屏幕遥控器，控制课件的运行和屏幕的显示。大屏幕居中，侧面有黑板或白板供教师书写必要的教学内容。

多媒体汉语课堂教学具有以下几个特点：节省板书时间，客观地增加了学生练习的时间；增强直观性，便于理解；体现交际性原则，有利于培养语言交际能力。

四、网络远程汉语作为外语教学

1. 汉语网络远程教学形式

网络型远程教学（网络教学）是以网络技术为主的远程教学。汉语网络教学的基本形式有以下五种：以网页为主的网络课件教学、通过E-mail交流、向BBS投稿、利用Internet进行的双向视频笔谈式交流和网络语音会话。远程电视会议型教学的基本形式有如下三种：远程直播、远程会话训练和远程电视讨论。汉语网络远程教学的目标是通过远程的方式培养汉语听说读写等技能。

2. 汉语网络远程教学特点

汉语远程教学的目标是通过远程的方式培养汉语听说读写等技能。强调个别化教学、增强交互性是汉语远程教学的基本特点。

3. 影响汉语远程网络教学的因素

与其他学科的远程网络教学相比，汉语的远程教学有其特殊的困难。相关因素包括如下几个方面：通讯技术和汉语信息处理技术、语言教学理论与现代教育技术理论、汉语教师对现代教育技术的认识和相关技能。

五、现代教育技术与对外汉语教学

1. 定义：美国教育传播与技术学会（Association for Educational Communications and Technology，AECT）在1994年将教育技术定义为：教育技术是对学习过程和教学资源进行设计、开发、运用、管理和评价的理论与实践。

2. 现代教育技术的研究内容：包括教育对象、教育内容、教师队伍、教育方式、教育场所与时间、教育资源和教育体制，涉及到教育的各个环节、各个方面。

3. 现代教育技术引入的目的：现代教育技术的影响越来越大，它不仅将影响传统的备课方式，提高备课的效率，而且会导致授课方式、学习方式、考试方式以及科研方式的变革。运用现代教育技术指导对外汉语教学实践，可以更深刻地揭示其中本质性和规律性的东西，这也是新世纪开展对外汉语教学的一项重要任务。

备考习题

一、填空题

1. CAI 是利用 ________ 辅助教师教学，以对话方式与学生讨论教学内容，安排教学进程，进行教学训练的方式与技术。
2. Photoshop 是一种 ________ 处理软件。
3. 强调个别化教学、增强 ________ 是汉语远程教学的基本特点。
4. 研制“汉语 ________ 语料库系统”，可以为对外汉语教学总体设计、教材编写、课堂教学、成绩测试和水平考试的研究工作提供依据。
5. 狭义的“计算机辅助教学”指的是“教学与学习”，即只针对 ________。
6. 建设 ________ 语料库是一项非常有意义的基础性工程。它可以为汉语教学工作者提供有力的帮助。我们可以用它来辅助制订教学大纲、编写教材、查找例句、编写教案、编出试题等等。
7. 文字处理工具 ________ 是目前普遍采用的软件。
8. ICCAI 指的是 ________ 汉语辅助教学。

二、选择题

1. 多媒体课件具有以下特点（　　）。
   A. 集成性
   B. 交互性
   C. 学生可以通过多媒体课件选择适合自己特点、能力的途径
   D. 教育性
   E. 技术性
2. 汉语网络教学的基本形式有（　　）。
   A. 以网页为主的网络课件教学
   B. 通过 E-mail 交流
   C. 向 BBS 投稿
   D. 利用 Internet 进行的双向视频笔谈式交流和网络语音会话
3. 多媒体素材的采集包括（　　）。
   A. 文字信息的采集
   B. 声音信息的采集
   C. 图片信息的采集
   D. 动画信息的采集
   E. 视频的获取
4. 现代教育技术的研究内容包括（　　）。
   A. 教育对象

B. 教育内容
C. 教师队伍
D. 教育方式
E. 教育场所

5. 多媒体汉语课堂教学具有以下几个特点（　　）。
A. 节省板书时间
B. 增强直观性
C. 体现交际性原则
D. 形式较为固定

三、名词解释

1. CCAI
2. 教育技术
3. 计算机辅助教学

四、论述

1. 简述建立汉语中介语语料库的基本目的。
2. CCAI 的设计原则有哪些？

第十章
教案设计

备考提示

考试要求的教案设计，仍然基于纸质媒介，应用于课堂环境，为面授服务。我们在这里提供的是范式，而不是样板。教学有法，而教无定法，教案极具个性化。学员们要在学习他人的基础上融会贯通，进而创新，形成个性，开拓模式，达到教学效果的最优化。

重点知识

一、教案基本模式

1. 教学对象

2. 教学类型：口语、听力、写作、综合

3. 教材

4. 教学工具：图片、实物、多媒体课件等

5. 教学内容：（1）生词（2）语法点

6. 教学目的：

（1）语言点：句型、语法、词语（详见样卷答案）。

（2）功能项目：感谢、问路、邀请、商量、打算、评价、问候、赞扬、祝贺、告别（详见样卷答案）。

7. 教学环节：（体现教学方法和课堂教学活动）

（1）复习旧课（视具体情况而定）

（2）学习新课

（3）课文讲练

（4）重点词语讲练

（5）重点语法讲练

（6）问答等课堂技能训练

（7）课堂小结和布置作业

8. 分配教学时间

9. 板书设计：板面的 3/5 板书教学内容，1/5 纠错，1/5 活用。

10. 课后札记：总结得失。

二、教案设计实例

【综合课语音阶段教案 1】（“您好”，零起点学生，课时为 100 分钟）

课文

A. 您好！ Nínhǎo！
B. 您好！ Nínhǎo！
A. 您好！ Nínhǎo！
B. 你好！ Nǐhǎo！
A. 请进！ Qǐng jìn！
B. 谢谢！ XièXie！
A. 再见！ Zàijiàn！
B. 再见！ Zàijiàn！

教学目标

1. 通过大量模仿练习单个声母、韵母、词语、句子，在语流中纠音正调。
2. 使学生初步了解复韵母、鼻韵母的发音特点以及轻声、三声连读的读法。
3. 能较流利地朗读课文，并能运用所学的词语、句式进行问答、对话。

教学重点

1. 复韵母：ao ai ；ian ie（难发、易混）
2. 鼻韵母：in——ing（难发、易混）
3. 轻声：xièxie
4. 三声连读 nǐhǎo（变调）

教学环节

1. 组织教学（2 分钟）：点名，问候。
2. 复习检查（14 分钟）：
（1）巩固已学过的声母、韵母、声韵拼合。教师板书，学生快速认读。
（2）检查前一天所学语音，发现问题，及时纠正。
（3）复习前一天所学课文，进行简单的问答或对话。
3. 学习新课（80 分钟）
（1）展示新课语音：
① 教师板书并领读单个声母（j、q、x）、复韵母、鼻韵母，学生跟读。
板书：
A. 复韵母：ao ai ；ian ie
B. 鼻韵母：in——ing
C. 轻声：xièxie
D. 三声连读（变调）：nǐhǎo

② 学生齐读，个别读，教师帮助纠音。

③ 声、韵、调拼读，在语流中进行练习。

板书：bao bai bian bie

跑步、发音、英语、铁路、家庭、列车

④ 辨音辨调：针对某些声母、韵母或某个声调，用对比法让学生分辨。

板书：bao——pao

由于、爷爷、奶奶

⑤听写学习的新课语音。

（2）认读新字、生词：

教师领读—学生齐读和个别读生词—纠正发音

（3）学习课文：

① 听课文录音—教师领读—学生齐读（分角色读）—纠正发音

② 手势法讲解轻声的读法—补充练习（如：爸爸、我们、朋友）

③ 图示法讲解三声连读的读法—补充练习（如：老板、可以、语法）

板书图示：nǐ+hǎo → níhǎo

④ 利用课堂语境设计情景，用课文中的短句进行会话操练。

4. 本课小结（2 分钟）：见板书上的重点，并再领读三遍。

5. 布置作业（大约 2 分钟）：写拼音、写汉字，熟读课文。

【综合课语音阶段教案 2】语音教学（学习 en—eng，an—ang，“是”字句）

教学目标

通过大量模仿，练习单个声母、韵母、词语、句子，在语流中正音正调。能运用学过的词汇、句型进行问答、对话。

教学重点

如 en—eng，an—ang，“是”字句

教学方法

对比、声韵拼合

教学环节

1. 组织教学

2. 复习检查（三分之一的时间）

快速认读声母、韵母、声韵拼合；复习汉字读音；听写

3. 学习新课（三分之二的时间）

（1）练习四个声调：写出音节后领读，如 ren，再写出相应的汉字“人”后重读。与以前学过的拼音进行对比，如 in—ing。

（2）认读新字、新词：先借助拼音读出汉字，再擦掉拼音读汉字，再做扩展练习，如“工人”，扩展为“他是工人。”

（3）操练各种不同的短句，进行会话或对话：把生词放入问句，擦掉拼音，反复领读与跟读；脱开汉字，用图片灵活进行问答，如指图问“她是老师吗？”

4. 进行小结：新学习的声母、韵母、声韵拼合，“是”字句。

5. 做书上“练习”部分的口头练习。

6. 布置课后作业。

【综合课语法阶段教案 1】（“时间表达法”，刚学完语音阶段的学生，课时为 100 分钟）

课文

问时间

生词

现在　点　分　刻　半　差　起床

饭　早饭　午饭　晚饭　上课　下课　睡觉

早上　上午　中午　下午　晚上

课文

（一）

A：现在几点了？

B：现在十一点了。

替换词语：十一点五分　十二点一刻　两点十二分

（二）

A：你什么时候起床？

B：我早上六点起床。

替换词语：早上七点吃早饭　上午八点上课

教学目标

学习 19 个生词，掌握时间表示法，了解时间词的句法功能及句式中的句重音，并能运用表示时间的句式进行会话。

教学重点

时间的表示法、时间词的句法功能与位置。

教学方法

运用图片、钟表等直观手段进行教学。

教学环节：

1. 组织教学（2 分钟）：

2. 复习旧课（12 分钟）：

（1）用指定词语结合图片内容会话（如：“说日期”）。

（2）快速问答前一课学习的内容（如：今天几月几号？今天星期几？）。

3. 学习新课（80 分钟）：

（1）学习生词：按设计的板书顺序听写生词，师生共同改错，领读和跟读。

板书 A 例：1. 现在　4. 刻　7. 起床
　　2. 点　5. 半　8. 早饭
　　3. 分　6. 差　9. 上课

（2）扩展词组练习：教师领读，学生跟说。

板书 B 例：早饭　吃早饭　早上吃早饭

（3）学习课文：教师领读；学生跟读；学生分角色读；做替换练习

（4）讲解新语法点：说明时间表示法、时间词的句法功能、句重音。

板书 C：* 名词谓语句：主语 + 名词谓语，如："现在八点"。
* 时间词作状语：时间词 + 动词，如："八点上课"。（时间词作状语不能在句末）

* 句重音：问：现在几点了？答：现在八点了。（句重音在数字上）

（5）进行操练：

例：教师把时针拨到两点，问"现在几点了？"让学生回答。

例：利用课堂语境，按照实际时间进行问答。

例：教师写出时间与活动，让学生互相问答（如：你早上几点起床？）

板书：早上 6：00 起床　6：30 吃早饭
上午 8：00 上课　11：45 下课
中午
下午
晚上

4. 本课小结（3 分钟）：见板书，并进一步强调时间词的位置。

5. 布置作业（3 分钟）：说说一天的活动。

【综合课语法阶段教案 2】（"我在这儿买光盘"，刚学完语音阶段，45 分钟。）

课文

我在这儿买光盘

王小云：大为，你在这儿买什么？

马大为：我买音乐光盘。

王小云：你常常来这儿吗？

马大为：我不常来这儿。星期天我常常跟林娜去小商场。这个商场很大。

王小云：你喜欢什么音乐？

马大为：我喜欢中国音乐。这张光盘怎么样？

王小云：这张光盘很好，是《梁祝》，很有名。
马大为：好，我买这张。这儿有没有书和报？
王小云：这儿没有书，也没有报。
马大为：本子呢？
王小云：有，在那儿买。跟我来，我也买本子。

重点：介词结构作状语：在……动词，跟……动词。
副词作状语：常常（不常）
有字句：肯定形式、否定形式、正反问形式
提问的方法：……吗？……呢？……怎么样？

教学目标和要求

1. 学习和掌握疑问句的几种表达方式。
2. 学习和掌握形容词谓语句（形容词前需加“很”等程度副词）。
3. 学习和掌握副词“常常”的用法（否定形式是“不常”）。
4. 学习和掌握介词结构作状语（在……、跟……）的用法。

教学环节和步骤

1. 组织教学
2. 复习旧课
3. 学习新课：学习生词——讲解课文——讲练语法——做练习
4. 课堂小结
5. 布置作业

【综合课短文阶段教案 1】（“买东西”，学习了一个学期的初级汉语水平的留学生，课时为 100 分钟）

课文

买东西

（情景：外国留学生艾中华在商店买衣服，和营业员对话）
营业员：你看，这件衣服比较长。你试一试，合适不合适？
艾中华：长短比较合适，可是这件比刚才那件大，太肥了。
营业员：你再看这一件，正好是你要的中号，但是这件衣服价格比那件贵一点儿。
艾中华：长短、大小正合适。这件衣服比那件贵多少？
营业员：比那件贵 80 元。
艾中华：比那件贵多了。有没有比这件便宜一点儿的衣服？
营业员：有，但是颜色没有这件好看。你看，就是那一件！

艾中华：那件比这件便宜多少钱？

营业员：比这件便宜20元。我拿给你看看，好吗？

艾中华：不用了，那件颜色没有这件深。我不喜欢。我就买这件。

教学目标

流利地朗读课文，了解并正确地使用比较方式。

教学重点

语法："比"字句，"没有"句 // 词汇：合适、正、正好

教学环节

1. 组织教学（2分钟）：点名，问候。

2. 复习旧课（12分钟）：快速问答前一课的内容，以巩固所学的知识；说出知道的"颜色词"，为学习新课作铺垫。

3. 学习新课（共80分钟）：

（1）导入新课（5分钟）：谈论一个与衣服和买衣服有关的话题。

例：你喜欢穿什么颜色的衣服？你在中国买过衣服吗？你买的衣服贵还是便宜？

（2）学习生词（10分钟）

听写新课生词；教师领读生词；学生齐读和个别读生词；纠正发音。

（3）重点词汇扩展练习（10分钟）词—词组—语段

例：合适—很合适—这件衣服很合适。

正—正合适—这件衣服正合适—我买的这件衣服正合适。

正好—正好100元—这件衣服正好100元—我正好有100元。

（4）讲练重点语法（20分钟）。

① 板书"比"字句、"没有"句的语法形式，并进行讲解与比较：

*"比"字句：A比B+形容词（+具体数量/多了/一点儿）

"比"字句的否定形式：A不比B+形容词

* A没有B+形容词=B比A+形容词

② 设计话题，或在真实交际场景中进行操练。形式为：回答问题、句型转换。

例：你比他高吗？

你比他高多少？

用"没有"句转换。

（5）学习课文（35分钟）

① 听课文录音—教师领读—学生齐读（分角色读）—纠正发音—学生质疑，老师或学生解答—教师提问内容

② 板书提示重点，概括大意：

重点词语和语法	课文内容提示
合适	第一件衣服：短
正	第二件衣服：长短比较合适，比第一件衣服大，太肥了。

正好　　　　　　　　第三件衣服：正好是他要的，长短大小正合适。
"比"字句　　　　　　　* 营业员说：比第二件衣服贵一点。
"没有"句　　　　　　　* 艾中华说：比第二件衣服贵多了。
　　　　　　　　　　第四件衣服：价格比第三件便宜一点。
　　　　　　　　　　　* 营业员说：颜色没有第三件好看。
　　　　　　　　　　　* 艾中华说：颜色没有第三件深。

③ 学生看板书的提示，进行成段叙述性表达；分角色表演。

4. 本课小结（4 分钟）：见板书上的重点生词、语法。

5. 布置作业（大约 2 分钟）：造句、作文、复述、预习。

【综合课短文阶段教案 2】（"京剧"，刚学完语音阶段，课时为 90 分钟。）

课文

京剧我看得懂，但是听不懂

玛丽：你看过京剧吗？

山本：看过一次。

玛丽：看得懂吗？

山本：看得懂，听不懂。我喜欢看京剧，虽然听不懂，但有字幕，能猜出大概的意思。

玛丽：我一点也听不清楚演员唱的是什么，只是觉得很热闹。

山本：我觉得京剧的音乐特别好，武打动作也很精彩。我还喜欢京剧的脸谱，京剧用各种脸谱来表现人物的社会地位和性格，十分有趣。

玛丽：京剧的服装也很美，我想买一套带回国去。京剧是中国的传统艺术，可是我听说现在一些青年人不太喜欢看。

山本：我也听田芳说过。她说京剧的节奏太慢，故事差不多都是古代的，离当代青年的生活太远，所以不容易被他们接受。你怎么这么喜欢京剧呢？

玛丽：我受我中文老师的影响，他是一个京剧迷。我想，要把汉语学好，也应该多了解一些中国文化。

山本：有时间的话，咱们一起去看，好吗？

玛丽：好啊。

教学目标

要求学生了解和运用可能补语的语法；流利地朗读课文，正确地成段表达。

教学重点

可能补语（1. 结构形式 2. 语义表达）

教学方法

运用结果补语与可能补语对比的方法，归纳说明可能补语的意义和结构形式；结合日常生活、学习情况，设计真实情景进行操练。

教学环节

1. 组织教学（大约 2 分钟）：

方法：点名，问候，谈论一个轻松的话题，以稳定学生情绪，调节课堂气氛。

2. 复习旧课（大约 12 分钟）：

方法：快速问答，完成对话，听写句子；根据提示词语复述课文；检查学生对前一课语言知识（如"结果补语"）、言语技能掌握的情况，并进一步巩固。

3. 学习新课（大约 45 分钟）：

（1）导入新课：谈论一个与课文内容有关的话题，如：你看过京剧吗？你喜欢京剧脸谱吗？

（2）学习生词（20 分钟）

听写新课生词—教师领读—学生齐读或个别读—纠正发音

（3）重点词汇扩展练习（如"猜"：利用演示，或一小段对话来揭示其用法。）

（4）讲练重点词语、语言点（大约 25 分钟）。

① 板书："可能补语"的语法形式、意义（表示可能、能力），进行讲解与比较：

* 动词 + 得 / 不 + 动词：听懂—听得懂
* 动词 + 得 / 不 + 形容词：看清楚—看得清楚。
* 动词 + 得 / 不 + 趋向词：坐下—坐得下

比较：

* 这个教室坐得下 20 个人吗？（可能）—这个教室坐下了 20 个人。（结果）
* 你病了，不能出去。（不应该、不允许）—雨太大，没有伞出不去。（可能的否定）

② 设计话题或设计真实交际场景进行训练：回答问题、句型转换、模仿造句、判断正误、选择填空。

（5）学习课文（25 分钟）

形式（按自然段把课文分成四部分进行，各部分步骤相同）：

① 听课文录音—教师领读—学生齐读（分角色读）—纠正发音

② 学生质疑，老师或学生解答—提问内容

③ 板书提示重点，概括大意

④ 学生看板书成段表达：复述课文内容，分角色表演。

4. 本课小结（大约 4 分钟）：重点生词、语法、交际功能项目。

5. 布置作业（大约2分钟）：例如：造句、作文、复述、预习。

特别注意：

结果补语：听懂、学完、记住、看清楚

程度补语：说得很好、写得很清楚、听得入迷、长得相当漂亮、忙得没时间吃饭

程度副词：极了、不得了、要死、要命、不行……

再如："冷死了、坏透了、气坏了、今天冷多了"

可能补语：听得懂、看得清、坐得下

【听力课教案】（"小联合国"，初级水平，课时90分钟。）

要求：根据课文内容设计不少于三种听力练习，请注意练习的先后顺序。

课文

王兰：彼得，你经常跟女朋友跳舞吗？

彼得：不，今天是第一次。

王兰：是吗？你们美国人不是很开放吗？

彼得：我不是美国人，我是联合国人。

王兰：有联合国人吗？你真会开玩笑。

彼得：怎么，你不相信？我爷爷是英国人，我奶奶是法国人，姥爷是德国人，姥姥是意大利人，爸爸是美国人，妈妈是日本人。你说我是不是联合国人？

王兰：这么说你们家真成了"小联合国"。

教学目标

1. 语言知识

（1）语音方面

掌握反问句的语气、句调，及其所表达的话语意义。

（2）词汇方面

"开放"、"联合国"等词汇在话语中的实际意义。

（3）语法方面

用"吗"或不用"吗"的反问句，及其所表达的话语意义。

2. 听力技能

通过对反问句语气、语调的学习，提高学生理解实际句义的能力。

教学重点

反问句所表达的话语意义：

1. 是非问形式："……是吗？"、"不是……吗？"、"有……吗？"

2. 正反问形式："你说，我是不是……？"

教学环节

1. 组织教学（2分钟）：点名，问候

2. 用提问方式导入课文（8分钟）：你是哪国人？我们班有哪些国家的学生？

板书①：学生的国籍 // 与课文内容相关的国家

3. 学习新课（共70分钟）：

（1）学习生词（不逐个讲解）：经常、开放、联合国、姥爷、姥姥

（2）听第一遍课文录音：检索主要信息，概括大意，指出人物关系与谈论的事件。听完后做练习（5分钟）：

*判断题：彼得有女朋友吗？他经常跟女朋友跳舞吗？

*连线题：他的爷爷、奶奶、姥爷、姥姥、爸爸、妈妈是哪国人。

（3）听第二遍录音：理解反问句的句子语义，了解表达态度的方式，借助已知信息预测下文内容。听完后做练习（5分钟）：

*完成选择题：彼得跟女朋友跳了几次舞？王兰相信吗？王兰认为美国人开放吗？她说的“开放”是什么意思？彼得说自己是哪国人？王兰相信吗？

*快速问答题：彼得说自己是联合国人，王兰听了后是怎么说的？

（4）教师用板书重点句式，并加以讲解（5分钟）：

板书②：反问句：“……是吗？”、“不是……吗？”、“有……吗？”

“你说，我是不是……？”

（5）再领读两遍课文，并补充练习反问句的用法：

*说出反问句的意思：如：A：他不是经常跳舞吗？让他教我们吧。

B：是吗？有这回事吗？

（6）听第三遍录音：检查对细节的掌握，重听难点和重点。听完后做练习（5分钟）：

*边听边记：你们美国人不是很开放吗？有联合国人吗？你真会开玩笑。

（7）学生分角色朗读课文（模仿反问句的句调），然后概括大意，允许不使用课文中的原句。

4. 复习小结（8分钟）：领读板书的重点，然后跟学生一起回忆录音中的相关句子。

5. 布置作业（2分钟）：参考板书上反问句的句式，写一段对话。

【口语课教案1】（“打电话”，功能项目：询问、邀约、建议……）

课文

A：喂。

B：请问，王华在吗？

A：我就是。

B：我是李文，晚上有空吗？我跟你一起去看电影，好吗？

A：对不起。今天晚上我没有空，明天晚上去，怎么样？

用提问的方式导入对话

电话铃响了，接电话的人怎么说？打电话的人怎么说？然后接电话的人可能怎么说？

学习新课

学习生词——学习基本句——学习交际任务的表达方式和程序：

A：喂。

B：请问，……在吗？

A：我就是。

B：我是……，……有空吗？我跟你一起……，怎么样？

A：对不起。……没有空，……，怎么样？

情景会话

两人一组进行对话，例如：吃饭、看望、参观……

布置作业

【口语课教案 2】（“上哪儿”，初等 B 级水平，课时 100 分钟。）

课文

A：今天你上哪儿了？

B：今天我去颐和园了。你呢？

A：我去香山了。你昨天去哪儿了？

B：昨天我上长城了。你明天上哪儿？

A：我明天去故宫。你呢？

B：我也想去故宫。

A：太好了！咱们明天一块儿去吧。

教学目标

能正确读写本课的生词，熟练地问答不同时间内某人的去向或进行的活动。

教学重点

1. 语气助词“了”的用法。

2. 询问去向的表达方式。

教学环节

1. 组织教学（2 分钟）：点名，问候。

2. 用提问方式引入对话（8 分钟）：你常常去哪儿？你喜欢什么地方？

板书①：学生去过的地方或喜欢的地方。

3. 学习新课（共 85 分钟）：

（1）听两遍课文录音（5分钟）

（2）教师用板书提示课文重点，并领读两遍课文（5分钟）：

板书②：

A：今天你上/去哪儿了？

B：今天我上/去……了。

A：昨天你上/去哪儿了？

B：昨天我上/去……了。

A：你明天上/去哪儿？

B：我明天上/去……。

（3）学生分角色朗读课文（10分钟）（提醒学生：在询问去向时，语调要上扬）

（4）教师板书重点句式，并加以讲解，以帮助学生理解（5分钟）

板书③：

*基本句式：时间词语+主语+上/去+处所+了。

*“句子+了”的基本语义：表达在一定时间内动作行为的发生或情况的出现（句中一般有表示时间的词语）。

（5）教师跟学生就课文内容对话，问答：A和B昨天、今天、明天的去向，以使学生熟悉课文，记忆课文内容。（10分钟）

（6）学生根据板书①、②、③的提示内容，进行成对自由会话练习。（20分钟）

（7）学生两人一组在全班同学面前进行对话表演。

4. 本课小结（3分钟）：板书②和③的内容。

5. 布置作业（2分钟）：用基本句式写一段表述去向的对话。

三、教案评分，以满分20分为例。

1. 评分内容

（1）教学目的和要求（5分）：A．语法、词汇（4分）B．功能项目（1分）

（2）教学环节和步骤：

① 复习旧课（1分）

② 学习新课（生词学习1分、课文讲练2分、重点词语讲练1分、重点语法讲练6分、活用练习1分）

③ 课堂小结和布置作业（1分）

④ 合理分配教学时间（1分）

⑤板书设计及教具使用（1分）

2. 举例分析

案例1

老刘：哎，老张！你每天都来这儿锻炼吗？

老张：只要不刮风下雨，我就来活动活动。

老刘：我也是。

老张：退休以后真是轻闲了，下下棋、逛逛公园、跟老朋友聊聊天儿，挺快乐的。

老刘：是啊，我每天上午练练书法、看看书，下午去小学接孙子。

老张：听说你那小孙子学习特别好，还会背很多古诗古文。

老刘：聪明是聪明，就是贪玩儿，得老督促他学习。

老张：那就不错了，我那孙子就是不爱学习。

老刘：你那孙子还小，大了就知道学习了。

老张：也许大了就不那么贪玩了。不聊了，我得回去了，再见！

老刘：好，再见！

(1) 请至少找出三个应讲授的语法点，并对其中的一个语法点进行分析和处理（要求：讲清这个语法点的形式和意义；举出两个同类的例子；设计出一种相应的语法练习题）。

(2) 请挑出六到八个应教授的重点词语，并对其中的两个词语进行分析和处理（要求：解释这两个词语的意义；举例说明其用法）。

参考：

1. 语法点：

(1) 动词重叠：下下、逛逛、聊聊、练练、看看等，AA 形式；活动活动、学习学习等，ABAB 形式。

(2)“了”，语气助词，表变化。例：真是清闲了。大了就知道学习了。

(3)“只要……就”，条件复句。例：只要不刮风，我就来活动活动。

(4)“V 是 V，就是……”，让步复句。例：聪明是聪明，就是贪玩儿。

(5)“得”，能愿动词，表应该。例：得老督促他学习。我得回去了。

分析：动词重叠形式—— AA, ABAB，表示动作的短暂、尝试、轻松等，如：听听、尝尝、锻炼锻炼、调查调查等。用动词重叠形式完成句子、填空等。

评分标准：找出三个语法点（6 分，每个 2 分）；分析其中一个语法点：讲清这个语法点的形式和意义（2 分），举出两个同类的例子（2 分），设计出一种相应的语法练习题（2 分）。

2. 重点词语：锻炼、活动、退休、清闲、下棋、逛（公园）、书法、接、背、聪明、贪玩、督促、也许

分析：(1)“活动”，运动，并列关系。可做 V 或 N。活动了两个小时、晚上有一个活动。

(2)“下棋”，下，进行（比赛、游艺活动），下棋为离合关系，动宾结构。喜欢下棋、下了两个小时棋等。

评分标准：找出 6 到 8 个重点词语（2 分）；对其中两个词语进行分析：解释这两个词的意义（2 分），举例说明其用法（4 分）。

案例 2

（综合课教案。教学对象：初级班；课时：90 分钟）

（情景：田中和金成泰是同屋）

金成泰：田中，起床啦，起床啦！

田　中：今天星期六，干吗起得这么早？

金成泰：我们一起去打网球吧。

田　中：我网球打得不好。去游泳怎么样？

金成泰：我游泳游得不好，去唱卡拉OK吧。

田　中：好啊，我特别喜欢唱中国歌儿。

金成泰：是吗，我怎么不知道？

田　中：山口唱得也不错。我常常跟她一起去附近的歌厅唱歌儿。

金成泰：那你给山口打个电话，问问她去不去。

田　中：我现在就打。

参考：

1. 教学目的和要求：

（1）通过本课教学，使学生基本掌握程度补语的用法，连动句的用法，以及“起床”、“唱歌”、“游泳”等离合词的用法。（4分）

（2）掌握功能项目：邀请、商量、打算、评价等。（指出一到两个）（1分）

2. 教学环节和步骤：

（1）复习旧课（1分）

（2）学习新课

① 生词学习（1分）

② 课文讲练（2分）

③ 重点词语讲练（1分）：这么（这么早），怎么（我怎么不知道），就（我现在就打）等。

④ 重点语法讲练（6分，答出两个即可）

A. 离合词：如：唱歌、起床、游泳。

B. 程度补语：意义、格式、否定和疑问形式，如：干吗起得这么早？我网球打得不好。我游泳游得不好。

C. 连动句：如：我们一起去打网球吧。我常常跟她一起去附近的歌厅唱歌儿。

⑤活用练习（1分）综合练习、各类形式的练习题。

（3）课堂小结和布置作业（1分）

（4）合理分配教学时间（1分）

（5）板书设计及教具使用（1分）

3. 课时安排：

复习旧课：5分钟；生词学习：10分钟；课文讲练：25分钟；重点词语讲练：10分钟；重点语法讲练：20分钟；活用练习：15分钟；课堂小结和布置作业：5分钟。

备考习题

要求：对给出的文章写一份完整的教案，步骤清晰，用三种以上教学方法，重点突出其中2—3个语法点。

约　会

（今天是星期天，王华跟女朋友方莉约定九点在公园门口见。可是方莉来到公园门口的时候，王华已经等了半个小时了）

王华：你怎么现在才来？

方莉：真对不起！我七点就准备出发了，可出门前有个朋友请我帮忙做一件事，我只好帮助他。到了车站，等车又等了半个小时。一下车，我就奔来了。你等了我半天了吧？

王华：我等了你半个钟头了。

方莉：对不起！现在，我去买票吧。

王华：我一来就买了。

方莉：票好买吗？

王华：不好买。我排了10分钟的队，才买到票。

方莉：那咱们进去吧！

各章备考习题参考答案

第一章

一、填空题

1. 语言学规律、心理学规律、教育学规律 2. 语言能力、社会语言能力、话语能力、交际策略 3. 说、写 4. 心理可行性、社会文化得体性、实际出现概率 5. 外语教学 6. 心理学、教育学 7. 第二语言 8. 言语交际能力 9. 长时记忆、短时记忆 10. 基础理论

二、选择题

1. C 2. B G 3. D 4. D 5. C 6. D 7. B 8. D 9. C 10. A

三、名词解释

1. 第二语言是在第一语言之后学习和使用的其他语言。在习得第一语言以后学习和使用的本民族的语言、本国其他民族的语言和外国语言都叫做第二语言。

2. 第二语言教学通常指在学习者掌握第一语言之后，通过各种教学手段，从培养学生最基本的言语能力开始，使学习者在学校环境（即课堂）中有意识地掌握第二语言。目的是使学生掌握语言交际工具，培养学生运用目的语进行交际的能力。对外汉语教学是对外国人进行的汉语作为第二语言的教学。

3. 言语技能就是听说读写的技能，听说用于口头交际，读写用于书面交际，言语技能受语言规则的制约。言语交际技能就是用言语进行交际的技能，它以言语技能为基础。言语交际技能除了受语言规则制约外，还要受语用规则制约，保证言语的得体性。言语技能要通过操练才能获得。

4. 研究语言学的应用的学科称为应用语言学，它实际上是一种交叉性学科，是相关学科的学者将语言学的基本原理同有关学科结合起来研究问题而产生的新的学科。应用语言学不同于理论语言学，它着重解决现实中与语言有关的各种实际问题。

四、论述

1. 实践性原则是对外汉语教学的一项基本原则，所谓实践性原则，简单地说，就是根据辩证唯物论的认识论的原理，组织和引导学生通过大量的、自觉的实践来掌握汉语，以培养他们运用汉语进行交际的能力。（或：实践性原则的基本内容是：针对学生的交际需要选择语言内容和语言材料；按照辩证唯物论的认识论的原理，组织、引导学生通过大量的、自觉的语言实践来掌握语言；通过灵活多样的教学方法尽快地培养学生实际运用语言的能力。）

2. 在传统的第二语言教学中，以教师为中心，学生服从教师。教师教什么，学生就学什么；教师怎么教，学生就怎么学，“学”服从“教”。所以，尽管学生是学习的主体，却处在被动的地位。教师教什么和怎么教则取决于教师本人对语言的认识和教学的经验。在这种思想指导下的教学，无论教学方法如何改进，也难以收到预期的学习效果。

于是，20世纪70年代后期，在教学中开始重视学习主体的价值，转向以学生为中心，以学习为重点，“教”服从“学”，根据“学”的需要随时调整“教”，“教”的依据是“学”。学生学什么，怎么学是优先考虑

的问题。“教”是帮助学生“学”或引起学生“学”。“教学”是师生共同的、互动的活动。学生是矛盾的主要方面，教师是辅助者、促进者、组织者、引导者，教师在教学中要充分调动和发挥学生的积极性、主动性。以学生为中心并不意味着取消教师的指导作用，让学生牵着鼻子走，放任自流，而是向教师提出了更高的要求。辅助、促进、引起学生学习比以教师为中心的“精彩表演”要难得多。正因为以学生为中心了，教学理论的研究也从单单考虑如何改进教学方法转到更加重视对学习者、语言学习习得过程和学习策略的探讨上来了。

第二章

一、填空题

1. 习得　2. 皮亚杰　3. 关键期　4. 预测　5. 学生、学　6. 语言教学　7. 知识性　8. 语言习得机制　9. 语言习得机制　10. 审慎型、冲动型　11. 韩礼德　12. 一套习惯

二、选择题

1. B　2. C　3. A　4. A　5. C　6. B　7. D　8. B　9. A　10. C

三、名词解释

1. 迁移就是指第一语言的某些结构特点和使用第一语言的某些经验，可以对第二语言的习得和使用有启发作用。对第二语言学习起积极作用的叫正迁移作用；第一语言的某些特点、原有的生活经验和民族习惯在某些方面、某种程度上对第二语言有干扰甚至抗拒作用，就是第一语言对第二语言获得的负迁移作用。第二语言学习者学习第二语言的过程一般经历了一个从窄到宽的认知过程。到了一定阶段，由于学习内容的扩大和丰富，会逐步放宽对语言知识的认知和应用，甚至会泛化所学到的语言规则，出现一些偏误或失误。但随着学习的深化，学习个体会进行部分调整，泛化现象也能得到一定的控制。

2. 迁移一般指学生的经验对于后来学习的影响。学生的经验包括知识、技能、对现实的态度和行为方式。其中起促进作用的影响叫做正迁移，起干扰作用的影响叫做负迁移。

3. 在外语学习中出现错误是不可避免的。失误是指由于疏忽或水平不高而造成差错，是偶然现象，学生可以自行纠正。偏误反映学习者语言能力的缺陷，有其系统性和规律性，需要教师帮助纠正。（或：失误是指由于疏忽或者水平不高而造成的差错，是偶然现象，学生可以自行纠正。偏误是指由于目的语掌握不好而产生的一种规律性错误，反映了学习者的语言能力和水准，这类错误一般学习者自己难以察觉，也不易改正。）

4. “语言习得机制”假说是心灵主义（内在主义）关于儿童习得第一语言的理论。代表人物是乔姆斯基，认为人类具有一种先天的、与生俱来的习得语言的能力，这种能力就是受遗传因素所决定的“语言习得机制”（LAD）。

5. 学习动机是激励人们学习的内在动力。学习动机属于学习者的情感因素（或个体因素），对第二语言学习有十分重要的影响。一般将学习第二语言的动机分成两种，持工具动机的学习者把语言作为一种工具来学习，持综合动机的学习者是想成为目的语社团的一个成员。

6. 所谓学习策略，就是感知和储存特殊类目以备以后回忆的方法；是输入策略，它包括迁移、干扰、概括或简化等。（或：语言学习策略是指学生在发展第二语言或外语技能中，促进学习进步而使用的具体的行

为、步骤或技巧，它被认为可以促进第二语言或外语的内化、存贮、提取或使用。）

7. 中介语是指在第一语言习得过程中，学习者通过一定的学习策略，在目的语输入的基础上所形成的一种既不同于第一语言也不同于目的语、随着学习的进展向目的语逐渐过渡的动态语言系统。

中介语是第二语言学习者特有的一种目的语的语言系统。这种语言系统在语音、词汇、语法、文化和交际等方面既不同于自己的第一语言，也不同于目的语，而是一种随着语言学习的进展向目的语的正确形式不断靠拢的动态语言系统。

特点：(1) 是一种语言系统，在语音、词汇、语法方面都有自己的系统，可以作为一种交际工具。(2) 不是固定不变的，随着学习的进展不断地向目的语靠拢。(3) 中介语的存在是由于偏误产生的，要掌握目的语，就要慢慢减少中介语的偏误。(4) 中介语的偏误有反复性。(5) 中介语的偏误有顽固性，其中一部分进而形成僵化。

四、论述

1. (1) 学习的主体不同。第一语言习得的主体是儿童，第二语言学习的主体大都是过了青春期的成年人。两者的学习主体在生理、心理、智力上都有差异。

(2) 学习的起点不同。儿童在习得第一语言之前，没有任何语言，他是通过所谓“语言习得机制”来接触和使用第一语言，从而认识它的。成年人在学习第二语言之前，已经掌握了第一语言，他是通过对第一语言的知识和科学的思维能力来接触和使用第二语言，从而认识它的。

(3) 学习的条件与环境不同。儿童总是处于一种自然的语言环境之中，不受时间限制，大量地接触自然的语言。语言环境比较单纯，没有第二语言的干扰。第二语言学习一般在正式场合（课堂）里进行，时间有限。课堂以外，一般没有使用外语的环境，或者说，总处在一种双语的环境之中，在课堂上学外语，课下使用母语。外语在生活中没有跟母语相当的地位。

(4) 学习的动力不同。儿童习得母语为了生存，为了生活，为了跟社团的成员交往，因而动力强。他把学习当成一种需要。成年人学习第二语言的动力各异：考试、求职、专业、喜欢、加入另一社团等等。

(5) 语言输入的情况不同。儿童的第一语言基本上是不用“教”的，而是自然习得的。输入的和习得的是同一种语言。父母输入的语言是“照顾式语言”：简单、清楚、有重复、速度慢、伴随着丰富的体势语、有具体的语言环境。第二语言输入的情况各异。

（或从以下四个方面论述：1 学习环境和学习方式不同；2 学习目的和学习动力不同；3 理解和接受能力不同；4 语言习得过程不同）

2. 相同点：

(1) 教学目的相同：都是培养学习者的第二语言交际能力。

(2) 教学性质相同：均属于第二语言教学。

(3) 基本的教学原则、教学方法和教学技巧，以及教学环节和教学活动等相同。

(4) 学科理论基础相同：语言学、教育学、心理学等。

不同点：

(1) 教学环境不同：对外汉语教学是在目的语环境中进行的，我国的英语外语教学等是在非目的语环境中进行的。

(2) 教学内容不同：汉语（包括书写符

号——汉字）和中国文化与英语（文字）及英美文化等不同。教学内容不同，具体的教学方式方法、教学的重点和难点以及测试的方式方法等也应有所不同。

（3）对外汉语教师的母语即学生目的语，我国的英语等教师的母语大都不是学生的目的语。

3. 成人语言学习的生理器官已经成熟，智力发育健全，思维能力较强，因而在第二语言学习中，能够充分概括和归纳语言材料。成年人在学习第二语言之前，已经掌握了第一语言；第一语言会对第二语言的学习产生迁移作用（正迁移作用或负迁移作用）。成年人第二语言学习一般是在正式场合（课堂）进行，因此在学习时间、学习环境、学习方式等方面都不同于第一语言学习。成年人学习第二语言的动机和目的多种多样，这和儿童习得母语是为了生存和发展有很大的不同。成年人学习第二语言要克服文化障碍，避免文化冲突。

4. 对比分析是应用性的对比研究，特指外语教学中对语言难点进行分析的一种分析方法，即运用语言对比的方法来预测哪些语言现象会在外语学习中对学生造成困难，困难的程度如何；对学生已经出现的偏误加以分析和解释。因此，它是以一种语言对比分析为基础的外语教学的理论和方法。（这种理论是20世纪60年代以前在欧美行为主义心理学和结构主义语言学的基础上产生的。这种理论认为，外语学习是从一种母语习惯向外语习惯转移的过程。当时人们认为，只要知道了母语和目的语的异同，就可以预测出在目的语的学习中出现什么偏误，而一旦产生偏误，也可以用对比分析的方法作出分析和解释。）对比分析理论在外语教学上的作用，主要是通过母语和目的语的对比，找出它们之间的异同，总结出母语对目的语学习的干扰的规律，预测和解释学习者的难点与偏误。但是母语干扰只能预测和解释一部分偏误，许多偏误还需用中介语来解释。

5.（1）同意“有错必纠”。认为：

根据结构主义语言学和行为主义心理学的理论，语言是一种习惯，学习一种外语就是养成一种新的习惯。习惯通过反复的“刺激—反应”的过程而得到强化和巩固。习惯一旦得到巩固，就很难改变。跟其他技能学习一样，外语学习要及时得到反馈，及时纠正错误，不能让错误得到强化，以避免形成错误的习惯。

（2）不要“有错必纠”。认为：

外语学习者的外语交际能力，有一个从不完善到完善的过程。在外语学习中出现错误是不可避免的。对有效但有缺陷的错误是可以容忍的。对错误要有一定的容忍度，但不是什么错误都不纠正。在纠正错误时，要注意以下几点：① 首先要分清失误和偏误。失误是偶然现象，学生可以自行纠正。偏误反映学习者语言能力的缺陷，有其系统性和规律性，需要教师帮助纠正。② 对偏误也要分清轻重缓急，分清是全局性错误还是局部性错误，一般性错误还是严重性错误。③ 要注意纠正偏误的方式方法，要注意不要挫伤学习者的积极性，不影响学习者的交际，不要制造紧张心理。

第三章

一、填空题

1. 功能法、功能语言学和社会语言学、人本主义心理学　2. 语法翻译法　3. 功能法　4. 纽南　5. 功能法　6. 听说法　7. 直接法　8. 语法翻译法　9. 结构主义语言学　10. 人本主义心理学

二、选择题

1. B E　2. C H　3. D　4. B　5. A　6. B　7. B　8. D　9. D　10. C

三、名词解释

1. 功能教学法又称“意念—功能法”或“交际法”，它是以语言功能项目（或意念）为纲，有针对性地培养学生的交际能力，实行交际化教学过程的一种教学法。

2. 任务教学法是交际法在20世纪80年代的新发展，是交际法的一种新形势。该教学法以学生为中心，教师设计具体的、带有明确目标的活动，让学生用目的语通过协商、讨论，解决这一具体问题。所谓“任务”指有目标的语言交际活动。

四、论述

1.（1）20世纪60年代以后，外语教学流派的发展趋势是：各种教学法流派趋向综合。

（2）20世纪60年代以后，外语教学法研究内容有以下几个方面的变化：

- 从重在教学方法、技巧的研究，转向重在研究总体设计、大纲制订和课程设计等。
- 从以教师为中心转向研究如何以学生为中心。
- 研究的重点由“教”转向“学”。
- 注意研究交际性教学的途径。

2. 认知法又叫“认知—符号法”，被认为是“现代的语法翻译法”。其主张在第二语言教学中充分发挥学生智力的作用，注重对语言规则的理解、发现和创造性的运用，目标是听、说、读、写全面掌握语言。

（1）理论基础：

语言学基础：乔姆斯基的转换生成语言学

心理学基础：皮亚杰的认知心理学

（2）主要特点：

① 教学原则：把培养语言能力放在教学目标的首位。

② 以学生为中心。

③ 提倡演绎法，启发学生发现语言规则。

④ 主张听、说、读、写齐头并进，全面发展。

⑤适当使用学生母语。只用母语解释一些比较抽象的语言现象。

⑥反对有错必纠，主张不影响交际的错误，不急于纠正。

⑦强调有意义的学习和有意义的操练，先理解（认）再操练（知）。

（3）不足：

① 转换生成语法尚无法应用到外语教学的实践中。

② 完全排斥机械性训练值得商榷。

③ 作为一个教学法体系还不够完善，需进一步研究。

第四章

一、填空题

1. 外语教学、第二语言教学　2. 交际能力　3. 综合课、专项技能课、专项目标课、语言知识课、翻译课、其他课程　4. 总体设计、教材编写、课堂教学、成绩测试　5. 语音、语法、词汇、汉字　6. 中心、主导、学习、教学　7. 记忆性（感知性、应用性）　8. 课堂教学　9. 测试原则、测试方式、成绩评定方式　10. 课程设计

二、选择题

1. B　2. D　3. C　4. D　5. D　6. C　7. D　8. B　9. C　10. A

三、名词解释

1. 总体设计是根据语言规律、语言学习规律和语言教学规律，在全面分析第二语言教学的各种主客观条件，综合考虑各种可能

的教学措施的基础上选择最佳教学方案，对教学对象、教学目标、教学内容、教学途径、教学原则以及教师的分工和对教师的要求等做出明确的规定，以便指导教材编写（或选择）、课堂教学和成绩测试，使各个教学环节成为一个相互衔接的、统一的整体，使全体教学人员根据不同的分工在教学上进行协调行动。

2. 教学大纲是根据教学计划，以纲要的形式制定的，对具体课程的教学目的、教学内容、教学进度和教学方法进行规范的指导性文件。具体可以分为：语法大纲、句型大纲、词汇大纲、情景大纲、功能大纲、意念大纲。

四、论述

1. 对外汉语教学的基本目的是使学生学会听、说、读、写，能用汉语进行交际。语言是交际工具，教语言就是让学习者掌握这个工具，培养学习者运用汉语进行交际的能力。因此，语言课是技能课、工具课。虽然语言教学中也要教语言知识和语言规律，但这是为了使学习者掌握语言、运用语言进行交际而进行的教学，根本目的是培养和提高他们运用语言进行交际的能力。如果我们在语言课上过多地讲解语言知识，例如讲词语的种种义项，讲语法知识，而忽视了语言技能的训练，这就是混淆了语言教学和语言学教学的目的，违背了语言教学的规律。

2. 语言是受规则支配的符号系统。无论习得母语还是学习外语，都要掌握语言的结构规则。所以对外汉语教学要重视汉语语法教学，让学习者掌握汉语的结构规则。语言是人类最重要的交际工具，对外汉语教学的目的不仅仅是让学生懂得汉语语法知识，而是培养汉语交际能力，因此要十分重视汉语交际能力的培养。语言是文化的载体，从某种意义上说，掌握一种外语也即掌握另一种文化和跨文化的交际能力。结构、功能、文化，在对外汉语教学中缺一不可。因此，《汉语水平等级标准和考试大纲》提出“结构－功能－文化相结合”的教学原则，认为“注意由易到难、循序渐进地安排语言结构，注重培养学生的交际能力，重视把语言作为‘载体’的文化知识在交际中所起的作用，是符合语言教学普遍规律的”。

3. (1) 起点不同。第一语言教学：由于学生已经具备了一定的语言能力和语言交际能力，教学主要是为了进一步培养他们的表达能力和读写能力，以及用语言进行交际的能力。第二语言教学：由于学生不具备最起码的言语能力，教学要从教目的语最基本的发音开始，要从教说话开始。

(2) 第二语言学习受到第一语言的影响。由于第二语言学习是在第一语言习得的基础上进行的，所以第一语言会对第二语言学习产生影响，既可产生正迁移，也可起到负面的作用。充分利用正面影响，预防或排除负面影响，是第二语言教学要解决的重要问题。第一语言习得不存在这些问题。

(3) 第二语言学习中存在着文化冲突。语言既是文化的组成部分，又是文化的载体。学习第二语言自然要了解、学习、掌握第二语言的文化。第二语言教学的任务之一就是要结合语言教学进行相关的文化教学，扫除第二语言学习中的文化障碍。第一语言习得中不存在此问题。

(4) 教学对象不同以及对象的学习目的不同。第一语言教学的对象一般是儿童，学习目的比较单一，就是为了掌握母语的交际能力。第二语言教学的对象大部分是成年人。因而学习者的目的多样，影响着教学内容及教学方法。

第五章

一、填空题

1. 声调　2. 汉字　3. 泛读　4. 学生　5. 略读　6. 听说读写　7. 课堂教学　8. 多练　9. 启发式　10. 归纳

二、选择题

1. B　2. D　3. C　4. B　5. A　6. B　7. A　8. D　9. D　10. C

三、论述：

1. 在第二语言教学中，课堂教学是帮助学生学习和掌握目的语的主要场所。这是因为语言学习主要通过课堂进行有组织的教学活动和展示有计划的教学内容。一切教学活动和教学过程中的各个阶段都要在课堂上进行并且完成，展示的教学内容要在课堂上让学生通过操练加以掌握并进而巩固。课堂教学也是帮助学生学习交际的场所。语言教学的根本目的是培养学生的语言能力和语言交际能力。这种能力的培养主要是通过课堂教学这一最基本的形式来实现的，因而培养具有运用语言进行交际的能力也是课堂教学的根本目的。由此在课堂教学中，教师除了在传授语言知识以外，更为重要的是通过各种形式的操练，帮助学生掌握和运用学到的语言知识，能够将这些知识转化为语言能力，运用于社会交际中。除了课堂教学以外，培养学生的语言能力和语言交际能力还必须与课外实践相结合。有计划、有组织的课外语言实践活动是课堂教学活动的延伸和不可少的辅助部分。

课堂教学的性质决定了课堂教学的中心地位。课堂教学是语言教学的四大环节——总体设计、教材编写、课堂教学和成绩测试的中心环节。也就是说课堂教学是全部教学活动的中心，其他环节都要以课堂教学的需要为出发点，适应和满足课堂教学的要求。教学原则的制订、教学内容的安排、教学方法的确定、教材的选择等等要考虑是否在课堂上可行，是否适应课堂教学的需要，成绩测试的内容和方法要考虑是否有利于改进课堂教学，测试的结果则要考虑是否对课堂教学起到了促进和推动的作用

2. 词汇是语言中词和固定词组的总汇，是语言的建筑材料，要掌握一种第二语言，词汇的学习是非常重要的。词汇教学的任务就是让学习者掌握一定数量的词汇并能在适当的场合使用这些词汇。在对外汉语教学中，选择所教词汇的原则主要有两条：

（1）常用和构词能力强。常用涉及到使用范围的问题，在这个范围内常用的词，在另一个范围内则不一定常用，最常用的是在各个范围内都经常使用的词。汉语中有很多单音节词可以作为语素跟其他语素一起构成合成词，这样的构词能力强的词是选择的重点。

（2）另外，在选词的时候还要考虑到学生的特殊需要和教学的特殊需要。在编写教材时，选择常用词的最重要也是最简便的方法是首先选择好话题。

3. 语法是语言音义结合的各个结构单位之间的组织规则。语法教学的任务和目的是让学生通过理解语法规则进而理解目的语本身，并运用语法规则在交际中进行正确的表达，所以掌握和运用语法知识对获得语言能力有着积极而重要的作用。但是语法教学不是目的，而是手段，语法教学要为培养学生运用第二语言进行交际的能力服务。

人们学习和掌握第二语言的过程，实际上是学习和掌握两种语言的对应关系的过程，即学习和掌握目的语中的一种形式所表示的意思，相当于第一语言中什么形式所表示的意思；第一语言中的某个意思，在目的

语中用什么形式表示。这里所说的“意思”也就是语义关系。如果说不同的语言有大量的共性，这种共性首先表现在语义关系方面，只是同一种语义关系的表达方式不同。在第二语言教学中，最重要的是帮助学生理解各种语义关系并掌握相应的表达方式，抓住了语义关系及其表达方式的教学，就是抓住了语法教学的关键。

语法是语言使用的规则，对语言实践有着积极的指导作用，掌握和运用语法知识对获得言语能力有着积极而重要的作用。因此，学习语言，尤其是学习第二语言，不学习语法是根本不行的。也就是说，语法教学的目的在于提高正确运用语言的自觉性，减少盲目性。语法教学可以帮助学生更好地理解语言现象、表达思想感情，可以使他们在学习中尽可能的少出偏差，少走弯路，从整体上提高第二语言学习的效率。

4. 复合趋向补语如：“V 进来”、“V 进去”、“V 出来”、“V 出去”、“V 回来”等等。

就汉语教学的现状来看，语法教学仍是精读课课堂教学的核心。语法教学是与其他技能的教学相辅相成的，这里只是从语法教学的角度讨论语法教学的课堂技巧。

（1）展示语法点的技巧

展示语法点就是我们通常说的“引入”语法点，展示语法点是语法教学的第一步。展示语法点的方法有许多，可以根据不同条件灵活选择。常用的展示语法点的方法有：听写、提问、对话、实物、道具、地图、图片、利用动作演示等。

复合趋向补语就可以利用动作演示出语法点。老师可以通过动作来演示，边做动作边说出带复合趋向补语的句子：

我进来了。

我出去了。

我回来了。

进一步，可以老师边做动作，边让学生说出下面的句子：

老师进来了。

老师出去了。

老师回来了。

5.（1）归纳法：从具体的语言材料中总结语法规则，再运用这些规则进行操练。

（2）演绎法：先讲清语法规则，再举例说明，然后在规则指导下学会运用。

（3）引导性的发现法或综合法：前面两种方法的结合。通过提问方式引导学生分析、类推，自己发现语法规则，并进行操练。先采用演绎法，简要揭示语法规则，然后通过大量练习，在初步掌握语法规则的情况下，做进一步的归纳总结，加深对规则的理解。

6. 交际性练习是课堂教学的重点环节。组织好交际性练习的要点是：

（1）根据教材提供的内容选择适当的语境和话题。适当的语境和话题是引导学生开口进行表达的基础。

（2）根据话题的特点选择适当的练习方式。常用的方式有：问答式、陈述式、描写式、讨论式、辩论式。

（3）进行话题练习时不要轻易打断学生的话语。纠正错误的基本点是：纠正学生常犯的错误和带有普遍性的错误。对话题练习中需要进行解释的部分，则应分主次和难易，做有针对性和选择性的解释。

7. 课堂教学的总的目标，就是根据教学大纲的要求和教材中的具体内容，全面完成教学任务，使学生全面掌握必须掌握的内容；阶段性的教学目标就是根据教学大纲所规定的这一阶段的教学内容和要求以及教材中相应的具体内容，全面完成这一阶段的教学任务，使学生全面掌握这一阶段必须掌握的教学内容；每一堂课的教学目标就是全面完成教师事先计划好的任务，使学生全面掌握这一堂课必须掌握的教学内容。

教师是否全面完成教学任务、学生是否全面掌握必须掌握的教学内容，可以用下面的标准来衡量：（1）教师是否全面展示和传授计划内的教学内容。（2）教师是否使学生全面理解所学的内容。（3）学生是否能正确地模仿。（4）学生是否记住了所学的内容。（5）学生是否能正确地运用所学的语言进行交际。使学生正确地运用所学的语言进行交际是语言教学的最高目标，也是课堂教学的最高目标。

8. 汉字教学的任务是：以汉字形、音、义的构成特点和规律为教学内容，帮助学习者获得认读和书写汉字的技能。汉字教学的原则：

（1）语和文先分后和，初期汉字应按自身规律教学。

（2）强化汉字教学，字与词教学相结合。

（3）讲授汉字的构成规律和基本理论，利用汉字的表义和表音功能识别汉字。

（4）按笔画、部件、整字三个层次，从笔画、笔顺、部件、间架结构四个方面进行汉字教学。

（5）重视对比，加强复习，通过书写认识汉字。

9. 教学技巧是指任课教师在课堂上进行教学的技巧，也可以叫做课堂教学技巧，由任课教师个人掌握。它受教学原则和教学方法的制约，但具有更大的灵活性，能够充分体现教师个人的教学艺术和教学风格。教学技巧贯穿在整个课堂教学组织中，熟练而得当地运用行之有效的教学技巧对提高课堂教学质量有决定性的作用。

第六章

一、填空题

1. 实用性、知识性、趣味性、科学性 2. 水平测试、成绩测试、诊断测试、潜能测试 3. 用途 4. 教材 5. 科学性、交际性、系统性 6. 信度 7. 实用性原则 8. 专项 9. 教学大纲 10. 趣味性

二、选择题

1. D 2. A 3. A B C D E F 4. A 5. B 6 . A B C 7. D 8. C 9. D 10. B

三、论述

可能有两种看法：

（1）对外汉语教学的目的是培养外国汉语学习者的交际能力。要培养汉语交际能力，就要尽量使课堂教学交际化，学习的材料要符合学习者的实际需要，要有实用价值，要有信息差。“这是书，那是报”这样的句子在实际交际中极少使用，在学习中也不提供什么新的信息。因此，这样的句子没有必要编进对外汉语教材。

（2）对外汉语教学的目的是培养外国汉语学习者用汉语进行语言交际的能力，而交际能力的基础是听说读写等语言技能。句型操练是培养语言技能的有效方法之一。“这是书，那是报”这样的句子，虽然在实际交际中很少使用，也不提供什么新的信息，但可以作为汉语的典型句子用来进行句型操练和替换练习，使学生掌握最基本的句子结构。进而，学习者可以通过类推创造出有实际价值的句子。另外，从课堂教学的组织方面来看，这样的句子简短而又易于理解和掌握，也最接近课堂教学的情境。用这样的句子，便于组织教学。再从理论上看，任何一个合乎语法的句子，在特定的语境中，都可以表达一定的实际意义。因此，在对外汉语教材中，可以选用这样的句子。

第七章

一、填空题

1. 主观　2. 汉语水平考试　3. 汉语作为第二语言　4. 评卷的客观化程度、试题的体型角度、客观性分立式、客观性综合性；主观性综合性　5. 笔试、口试、6　6. 分级　7. 诊断　8. 分班测试　9. 效度　10. 潜能

二、选择题

1. B　2. A　3. C　4. B　5. D　6. D　7. C　8. A

三、名词解释

1. 水平测试的目的是测量测试对象的第二语言水平。水平测试的内容和方法以能够有效地测量测试对象的实际语言水平为原则，而不以某个具体教学单位的教学大纲或某一种特定的教材为依据，所以跟教学过程没有直接的联系。

2. 分立式试题和综合性试题是根据试题所包含的测试内容的特点划分出来的。对有关的语言点分别进行测验的试题叫分立式试题。对有关的言语技能和相应的言语交际技能进行综合测验的试题叫综合性试题。

3. HSK 是“汉语水平考试”的简称，是专为测试外国人和非汉族人的汉语水平而设计的一种考试，由笔试和口试两部分组成，笔试分为六级，口试分为三级。设计依据是《汉语水平等级标准和考试大纲》。

4. 教学评估是对教学过程中所有因素进行的评价。评估分两种：一种是教学过程中的评估，目的是为了得到学生对教学的反馈，以便改进教学；一种是总体性评估，目的是为了评价整个教学计划的价值。

5. 效度即有效性，指测试的内容应符合测试的意图。一份试题所测的是不是它要测的东西？如果是，就是有效的；如果不是，就是无效的。在选择试题时，有两个问题必须考虑：一是这份试题究竟要测什么；二是这份试题究竟有没有测出要测的东西。

6. 反馈作用是指测试对教学所产生的影响。反馈作用有积极和消极之分。能对教学作良好的引导，对学生的学习起督促和促进作用的是积极的反馈；而将教学引向错误方向，甚至出现教学为考试服务的是消极的反馈。要使测试本身起到积极的反馈作用可以从两方面加以努力：一是测试项目、内容和试题题型的选择与确定要有利于指导课程教学，二是测试标准和试题深浅都要适度，这样才能有利于教学水平的提高。

四、论述

语言测试的作用和目的是：(1) 评估教学的实际效果，为改进教学中的问题提供反馈信息；(2) 评价学习者的学业成就和语言水平，为选拔人才提供依据；(3) 为语言研究包括语言教学研究提供信息，同时也是语言教学研究和语言研究的重要手段；(4) 有利于推广母语教学，扩大母语的影响。

第八章

一、填空题

1. 尊重　2. 挫折期　3. 精神　4. 民族性　5. 交际行为　6. 载体　7. 蜜月　8. 文化依附　9. 心态文化

二、选择题

1.A B C D　2.A B C　3.C　4.A B C D　5.A B C

三、名词解释

1. 即“文化震荡症”或“文化休克”(cultural shock)。这是一种由于对文化不适应而产生的心理上的深度焦虑感，表现为感到孤独、气恼、悲伤、思乡、浑身不适乃至生病。

2. 是指不同文化背景的人们之间的交际

行为。这种交际主要通过语言来进行的，又称为跨文化语言交际。

四、论述

语言和文化关系密切，互相依存，不可分割，文化也自然成为第二语言教学内容的一个组成部分，而且是非常重要的部分。要掌握和运用一种第二语言，就必须同时学习这种语言所负载的民族文化。理想的第二语言教学是使学生既习得目的语，同时也掌握目的语的文化。在对待文化的问题上，对外汉语教学界的基本共识是，以语言教学为主，同时紧密结合相关的文化教学，但不能以文化教学取代语言教学。

在对外汉语教学中处理文化因素应体现：

（1）文化教学要为语言教学服务。语言教学就是教语言，但是为了使学生能正确理解和使用所学的语言，必须结合言语要素的教学和言语技能、言语交际技能的训练，介绍相关的文化知识背景。

（2）在针对在跨文化交际中易出现的交际困难和障碍进行文化教学，要有针对性。

（3）教学内容既要有代表性，又要以发展的眼光看问题，牢记文化是在发展的，风俗习惯也是会改变的。

（4）在教学方法上，文化知识背景的教学应当从属于语言要素的教学以及言语技能和言语交际技能的训练。

（5）具体的教学方法多种多样，比如可以把文化内容直接以课文内容的方式介绍，也可以通过注释说明等方式。

第九章

一、填空题

1. 计算机　2. 图像　3. 交互性　4. 中介语　5. 语言训练　6. 现代汉语　7. Microsoft word　8. 智能

二、选择题

1.A B C D E　2.A B C D　3.A B C D E　4.A B C D E　5.A B C

三、名词解释

1. 汉语计算机辅助教学（Chinese-Computer-Assisted Instruction），用来存储、传递、交换、解释、处理教学信息，并对它们进行选择、评价和控制。

2. 教育技术是对学习过程和教学资源进行设计、开发、应用、管理和评价的理论与实践。

3. 从广义上讲，包括计算机辅助制定教学大纲、编写教材、教学与学习、学习效果分析、测试与管理等。就语言教学来讲，包括语料分析、语言训练、语言测试、文字处理和教学管理等。狭义的“计算机辅助教学”指的是“教学与学习”，即只针对语言训练。

四、论述

1. 建立汉语中介语语料库是为对外汉语教学的学科建设做一项基础性的准备工作，同时也为有关的汉语本体研究、汉外语言对比和语言共性研究以及其他相关的研究工作提供来自汉语中介语方面的语料和数据。研制“汉语中介语语料库系统”，可以为对外汉语教学总体设计、教材编写、课堂教学、成绩测试和水平考试的研究工作提供依据。在教学实践方面，它可以帮助老师了解学生的学习过程和影响学习进步的因素，从而使教师有效地优化影响学习的条件，自觉地按照学习规律组织教学、提高教学的效率。

2.（1）内容正确、规范。

CCAI的内容可能包含多种媒体，如：文字、声音、图片、动画、录像等。无论是哪种媒体都有其行业标准。例如，文字内容的标准是表述通顺流畅，所使用的语言及格式应参照国家出版业相关的标准和规范（拼音标注要符合《汉语拼音方案》）。汉字书写应依据《现代汉语常用字笔顺规范》。汉语发音要符合普通话标准。除涉及报刊、文化艺术方面的内容和标题外，一般不使用竖排。

（2）媒体素材的有效性。

CCAI 中往往包含了一些声音、图片、动画、录像等媒体素材，在语言教学中会起到积极的作用。但语言教学中的媒体素材并不是越多越好，也并不是越复杂越好。媒体素材的有效性包括：素材运用要恰当，不可滥用，以免喧宾夺主；素材的质量要符合教学要求，字体、音质、画质、录像要有一定的清晰度；文字解释要采取有效措施，尽可能做到易懂（如对比的手法、表格的形式），对初学者可以考虑使用母语进行解释；图标要直观，含义要明确，最好能提供在线帮助；解说速度适中等等。

（3）交互方式恰当。

交互性代表了传统媒体和现代媒体间的根本区别，是计算机辅助教学的重要特征。它的作用应是使学习者能够融入所提供的学习环境。交互的关键是引导学习者主动参与各种学习活动。交互方式要简洁、明确，不要给使用者在操作上带来困难。

第十章

教学目标和要求

1. 理解并掌握时量补语的语法意义和用法。

2. 要求学生能运用所学的词语和语法造句，并进行成段表达。

教学重点

1. 语法：时量补语。

2. 词语：奔、半天、好、只好、帮忙、帮助、小时、钟头

教学方法

1. 运用图表的形式，讲解时量补语的语法意义和用法。

2. 设计真实情景进行操练（例：某位学生迟到了）。

教学环节和步骤

1. 组织教学

例：今天，你几点来教室的？
他迟到了吗？

2. 复习旧课

例:今天，你很早就来了吗？他几点才来？
你怎么现在才来？
你一起床就来了吗？

3. 学习新课

（1）学习重点词语——设计情景进行操练。

（2）朗读课文:领读——学生分角色读。

（3）讲解重点语法“时量补语”：动词 + 时量补语（表示动作持续多长时间）

* 持续性动词有三种形式：我学汉语学了一年。（重复动词）

我学了一年（的）汉语。（动词 + 时间 + 宾语）

汉语我学了一年。（宾语提前）

* 非持续性动词的形式：

他离开中国一年了。（动词 + 宾语 + 时间）

* 宾语是人称代词的形式：

我等他等了十分钟。（重复动词）

我等了他十分钟。（动词 + 人称代词 + 时间）

（4）设计情景进行操练：

例：昨天，你看电视看了多长时间？
你来中国，坐了几个小时的飞机？
今天他迟到了，我们等他等了多长时间？

（5）进行成段表达，板书提示：

今天是星期天，王华跟方莉约定9点在公园门口见。方莉7点就________了，可是出门前有个朋友请她________，她只好________。到了车站，等________又________小时。所以，她到公园门口的时候，王华已经等________小时了。

王华早就到了，他一到就去买票了，可是票不______买，他排______才买到票。

4. 本课小结：重点生词、语法。

5. 布置作业：

结合某次迟到，写一篇作文或对话。

要求：词语方面

语法方面：时量补语、一……就……、就、才

附　录
基本语法 40 项

以下 40 项语法项目是对外汉语教学中最为常见的语法，作为一名合格的汉语教师应该全面掌握。

● 主语 — 谓语 — 宾语

　我　　**学习**　　**汉语**

● 定语、状语、补语

　我**的**朋友学习汉语　他**认真地**学习汉语　他学**得很好**

1. 用疑问代词的疑问句：他是**谁**？ / 这是**什么**书？ / 你去**哪儿**？ / **怎么**去？

2. 正反疑问句：(1) 你**是不是**中国人？ / 你**有没有**词典？ / 你**忙不忙**？

　(2) 你**是**中国人**不是**？ / 你**有**词典**没有**？

3. 用“还是”的选择疑问句：你喝咖啡**还是**（喝）啤酒？ / 你去商店**还是**（去）书店？

注意区别：A **还是** B？ / A **或者** B

4. 定语：(1) 人 + 的 + 名词：这是我的书，那是他的笔。（领属关系）

　(2) 不用“的”：这是中文书。/ 他是汉语老师。（说明性质）

　他是我爸爸。/ 那是我们学校。（亲属或单位）

　(3) 动词 + 的 + 名词：这是我买的书。/ 看电影的人很多。

5. 状语：(1) 副词作状语：我**常**去商店。

　(2) 双音节形容词作状语（常用“地”）：他**高兴地**说：“……。”

　(3) 单音节形容词作状语（不用“地”）：你**快**走！ / 我要**多**听**多**说。

　(4) 形容词前有程度副词（一般要用“地”）：他们**很**认真地学习。

　(5) 介词短语作状语：我**在**中国学习。/ 我**在**他那儿看电视。

　我**从**美国来。 / 我**跟**中国老师学汉语。

　我**给**他写信。 / 你**往**前走。/ 我**对**他说。

6. 存现句：处所 + 动词 + 名词

(1) 表示存在：墙上有（挂着）一幅画。

(2) 表示出现：前边来了一个人。

（3）表示消失：停车场上开走了一辆车。

7. 动态助词“了”：动词 + 了（“了”在动词后，表示动作完成）：
（1）**昨天**我去了书店，他**没有**去书店。（过去：动作已经完成）
（2）**明天**我吃了早饭去书店。（将来：动作 1 完成后会出现动作 2）
（3）**每天**我吃了早饭就去学校。（平时：动作 1 完成后出现动作 2）

8. 语气助词“了”（一）：句子 + 了（“了”在句尾，表示事情已经发生）：
（1）现在他去书店买书**了**。
（2）昨天你去书店**了没有**？（正反疑问句）

9. 语气助词“了”（二）：名词 / 形容词 / 句子 + 了（“了”在句尾，表示变化）：
（1）春天**了**，天气暖和**了**。
（2）他现在是大学生**了**，可以独立生活**了**。

10. 表示很快会发生：“要……了、就要……了、快……了、快要……了”：
（1）要下雨了。/ 新年快到了。/ 汽车快要开了。
（2）我**明天**就要（* 快要）回国了。（“快要”前不能用时间词语）

11. 动态助词“了”+ 数量词 + 语气助词“了”（可能继续，或不再继续）：
（1）现在，我学汉语学**了**一年**了**，我**还要**学一年。（还要继续）
（2）我学汉语学**了**一年**了**，以后**不**学了。（不再继续）

12. 动态助词“着”：动词 + 着（表示动作或状态的持续）：
（1）外边下着雨，刮着风。（动作的持续）
（2）教室里的窗开着，门关着。（状态的持续）

13. 动态助词“过”：动词 + 过（表示过去的经历）：
（1）我去过日本，**没有**去**过**美国。
（2）正反问：你去**过**北京**没有**？

14. 表示动作的进行：“在、正、呢、在……呢、正（在）……呢、……着、……呢”：
他**在**看书（呢）。/ 他**正**看书呢。/ 他看书**呢**。/ 外边（在 / 正）下**着**雨（呢）。

15. 连动句（有两个以上的动词）：
昨天他**去**书店**买**了一本书。（**“了”**在最后一个动词的后面）

16. 兼语句：第一个动词是表示要求、命令的“请、让、叫”等：

A请/让/叫B＋动词

我**请**他来。/老师**让**学生写作文。/爸爸**叫**儿子去买东西。

17. 简单趋向补语：动词后有宾语，趋向补语是“来/去”：

（1）宾语是处所词语：动词＋处所词语＋来/去（“来、去”在最后）。

明天他回**北京**来。/刚才他进**图书馆**去了。

（2）宾语是事物词语，有两种形式：

* 表示完成：动词＋来/去＋事物词语。

昨天我借来**一本书**。/他拿去了**那支笔**。

* 表示要求：动词＋事物词语＋来/去。

客人已经来了，你快倒**茶**来！

18. 复合趋向补语：动词＋上、下、进、出、回、过、起＋来/去

（1）宾语是处所词语，“来、去”也在最后。

他**走回**家**去**了。/ 他**站起**身**来**。

（2）表示完成，事物宾语前有数量词，一般有两种形式：

他拿出来（了）一本书。/他拿出（了）一本书来。

（3）表示完成，事物宾语前没有数量词：他拿出**书**来（了）。

（4）表示要求：你拿出**书**来！

19. 结果补语：（1）补语为动词；（2）补语为形容词

动词：懂、见、完、到、开、上、给、在、成……

形容词：对、错、好、清楚……

20. 可能补语（表示能力或可能）：动词＋得/不＋结果补语/趋向补语：

（1）能力：这本书我看**得**懂。/这个字我总是写**不**对。

（2）可能：他们明天回得来，我们明天回不来。

比较

禁止：你病了，**不能**出去。/ 我知道这件事，但是**不能**说出来。

没办法：外边在下雨，我没有伞，**出不去**。/我知道，但是**说不出来**。

21. 程度补语：动词＋得/不＋形容词（说明“怎么样”）

（1）动词后没有宾语：他学汉语，他学得很好。

（2）动词后有宾语的三种形式：他**学**汉语**学**得很好。（重复动词）

汉语他学得很好。（宾语提主语前）

他汉语学得很好。（宾语提动词前）

22. 时量补语：动词＋时量补语（表示动作持续多长时间）：

（1）持续性动词有三种形式：我学汉语学了一年。（重复动词）

我学了一年（的）汉语。（动词＋时间＋宾语）

汉语我学了一年。（宾语提前）

（2）非持续性动词的形式：他离开中国一年了。（动词＋宾语＋时间）

（3）宾语是人称代词的形式：我等他等了十分钟。/ 我等了他十分钟。

（4）副词或能愿动词放在重复的动词前：我学汉语只（要）学一年。

23. 动量补语：动词＋动量词“次、遍、下……”：

（1）动词＋动量词＋事物宾语：我看了一次电影。/ 他看了一遍课文。

（2）动词＋人称代词宾语＋动量词：昨天，我找了他三次。

24. 用“比”字句表示比较：

（1）A（不）比 B＋形容词：我比他高。/ 我不比他高。

（2）A 比 B 更 / 还＋形容词 / 心理类动词（喜欢、觉得……）：

形容词：我很高，他比我更 / 还高。

心理类：我喜欢锻炼，他比我更 / 还喜欢锻炼。

（3）A 比 B＋形容词＋数量 / 一点 / 一些 / 得多 / 多了：

我比他高五公分 / 一点 / 一些 / 得多 / 多了。

（4）A 比 B 早 / 晚 / 多 / 少＋动词＋数量：

我比他早来五分钟。/ 我比他多学了三篇课文。

（5）A 比 B＋动词＋程度补语，有两种形式：

我比他来得早（一点 / 一些 / 得多 / 多了）。

我来得比他早（一点 / 一些 / 得多 / 多了）。

25. 用“A 跟 B（不）一样＋（形容词）”表示比较：

我跟他（不）一样高。

26. 用“A 有（没有）B 这么 / 那么＋形容词”表示比较：

他有我这么高。/ 我没有他（那么）高。/ 他有你（这么）高吗？

27. “把”字句：

（1）形式：主语＋把＋宾语＋动词＋其他成分

（2）语义：说明移动、变化、产生的结果

我关了门——我把门关了。

（3）动词＋“了”/“结果补语”/“趋向补语”/“宾语”等，**不能用可能补语**。

我把门关**了**。/我把作业**做完**了。/你把箱子**拿上来**。/你把这本书给**他**。

不能说：今天，我把这书看**得**完。

（4）宾语一般是确指的、双方都知道的：你把**这**本书（*一本书）给他。

（5）能愿动词/否定词/时间副词在“把”的前边：

我要（没/已经）把这本书给他（了）。

（6）动词后有结果补语“在、到、给、成、作”，一般要用“把”字句：

我把汽车停**在**学校门口。/我把汽车停**到**学校门口。/我把笔还**给**老师。

我把这本英文书翻译**成**中文。/王老师把学生看**作**是自己的孩子。

28. 被动句：

（1）“被”字句：主语＋被/让/叫＋宾语＋动词＋其他成分

我的词典被（他）借走了。（有时施事可以不出现）

我的词典被**人**借走了。（有时用“人”，表示不易或无法说明的施事者）

（2）意义上的被动句（无标志）：信写好了。/练习做完了。

29.“是……的”：

（1）强调已经发生的动作的时间、地点、方式等：

他是**昨天**来的。/他是**从北京**来的。/他是**坐飞机**来的。

（2）表示态度、观点：

你打人是**不对**的。/我认为这样做是**有道理**的。

30. 动词重叠：

（1）还没有发生，单音节动词之间可用“一”：这个问题，我要想（**一**）想。

（2）已经完成，单/双音节动词之间要用“了”：这个问题，我昨天想**了**想。

（3）双音节动词之间不能用“一”：这个问题，我们要研究（***一**）研究。

（4）表示“正在”的意思，动词不能重叠：他正在听（***听听**）音乐。

31. 形容词重叠：

（1）单音节：AA/双音节：ABAB

（2）重叠的形容词前不能用“很”：她穿得干干净净的（*很干干净净）。

（3）单/双音节形容词重叠作定语，或单独作谓语，后边要用“的”：

一双大大**的**眼睛/一个干干净净**的**房间

他的脸红红**的**。/他们都高高兴兴**的**。

32. 概数：
“多”：
数词后是“0”：数词＋多＋量词：三十多斤
数词是“1-9”：数词＋量词＋多：三斤多

33. “就”和“才”的区别：
（1）“就”表示早、快：学校八点上课，他七点半就来了。
（2）“才”表示晚、慢：学校八点上课，他八点半才来。

34. “又”和“再”的区别：
（1）表示“过去”重复用“又”：他前天来了，昨天**又**来了。
（2）表示“将来”重复用“再”：今天我来了，明天我要**再**来。（**还**要来）
（3）表示“有规律”地重复：明天**又**是星期天了。/ 明天他**又**要来。

35. “有一点儿”和“一点儿”的区别：
（1）有一点儿＋形容词（有“不如意”的意思）：这本书很好，可是有一点儿贵。
（2）有一点儿＋动词：他们想去公园，我也有一点儿想去。
（3）动词＋一点儿（＋宾语）：我会说一点儿汉语。
（4）形容词＋一点儿（表示比较）：昨天 20 度，今天（比昨天）冷一点儿。

36. 越……越……：
（1）主语相同：风越刮越大。
（2）主语不同：老师越说，我越不明白。

37. 越来越……：
（1）冬天到了，天气越来越冷了。
（2）我越来越喜欢音乐了。（心理、认知类动词）

38. 一……就……（第一个动作发生后，第二个动作马上发生）：
（1）主语相同：我一下课就回家。
（2）主语不同：老师一说，我就明白了。

39. 定语的顺序：

名词 / 代词	＋指示代词	＋数量词组	＋修饰性形容词 / 名词	＋中心语
爸爸	这	两个	好	朋友……
公司	那	三个	重要的	部门……

你	这	四本		汉语	词典……
她	那	五件	漂亮的	丝绸	衣服……

40. 状语的顺序：

时间＋处所＋范围＋程度＋情态 / 方式＋介词词组＋动 / 形

	时间	处所	范围	程度	情态 / 方式	介词词组	动 / 形
我们	昨天	在家里	都	很	高兴地	给他	打了 电话。
我们	前天	在学校	只	十分	简单地	跟他	谈了谈。
他们			都			对我	很热情。

*** 关联词语**

因为……所以……	不但……而且……	只要……就……	只有……才……
如果……就……	一……就……	不是……而是……	连……都（也）……
既然……就……	即使……也……	无论（不管）……都（也）……	

责任编辑：墨　言
封面设计：夏陶然
印刷监制：汪　洋

图书在版编目（CIP）数据

对外汉语教学理论科目认证指南 / 朱雪峰，赵炜编著 .—北京：华语教学出版社，2010

ISBN 978-7-80200-984-4

Ⅰ. ①对…　Ⅱ. ①朱…　Ⅲ. ①对外汉语教学－教学理论－水平考试－自学参考资料 Ⅳ. ① H195.1

中国版本图书馆 CIP 数据核字（2010）第 137854 号

对外汉语教学理论科目认证指南
朱雪峰　赵炜　编著
*

华语教学出版社有限责任公司出版
（中国北京百万庄大街 24 号 邮政编码 100037）
电话：(86)10-68320585 68997826
传真：(86)10-68997826 68326333
网址：www.sinolingua.com.cn
电子信箱：fxb@sinolingua.com.cn
北京密兴印刷有限公司印刷
2010 年（16 开）第 1 版
2018 年第 1 版第 14 次印刷
ISBN 978-7-80200-984-4
定价：24.00 元